ASPECTOS ÉTICOS Y LEGALES DE LA ASISTENCIA SANITARIA EN LOS CONFLICTOS ARMADOS

Julián Sánchez Esteban

ASPECTOS ÉTICOS Y LEGALES DE LA ASISTENCIA SANITARIA EN LOS CONFLICTOS ARMADOS

CINCUENTENARIO DEL REGIMIENTO DE INGENIEROS EN SALAMANCA

DIPUTACIÓN DE SALAMANCA
2016

Ediciones de la Diputación de Salamanca
Serie Publicaciones Generales, n.º 57

© Diputación de Salamanca
   1.ª edición: 2016

© Julián Ramón Sánchez Esteban

© *De las fotografías:* Regimiento de Especialidades de Ingenieros, n.º 11, Ángel Manrique - DECET,
   Luis Rico - DECET, Julián Moreno de la Vieja, Francisco Sarro Moreno y Julián Marcos Madruga.

© *Fotografías de cubierta:* Ángel Manrique y Luis Rico - DECET.

DIPUTACIÓN DE SALAMANCA
e-mail: ediciones@lasalina.es
http://www.lasalina.es/cultura

ISBN: 978-84-7797-508-3
Depósito legal: S. 342-2016
Impreso en España

Preimpresión: www.trafotex.com

Imprime: Imprenta KADMOS. Salamanca

A mis padres, a mi esposa, a mis hijos
y a nuestra madrina

«La Medicina es la más humana de las artes,
la más artística de las ciencias
y las más científica de las humanidades».

EDMUND D. PELLEGRINO

Dentro de la colección de temas de interés general para la provincia de Salamanca, el catálogo de las ediciones de la Diputación no podía ser ajeno a la conmemoración del 75 aniversario del Regimiento de Ingenieros. Aunque el Acuartelamiento llegara a Salamanca en 1966, no fue hasta muchos años después cuando se estrechó la cooperación entre la unidad militar y la Diputación.

En 1989, con la celebración del Festival del Soldado, se inició una fructífera colaboración que, teniendo como vehículo la cultura, acercó a ambas instituciones con el deseo común de fomentar en las tropas salmantinas el respeto a la cultura y a los bienes culturales de todos los pueblos, que es lo que disponen los convenios internacionales suscritos por España.

Esta relación pudo llevarse a cabo por el esfuerzo de unos pocos funcionarios y militares entre los que Julián Sánchez Esteban fue un elemento fundamental. Su inestimable ayuda culminó con su participación como coordinador en los actos de Arapiles-Encuentro de Europa, con los que esta Institución se sumó a las celebraciones de la Capitalidad Cultural Europea de Salamanca en el año 2002.

Por este motivo, desde la Diputación hemos querido sumarnos a la celebración del aniversario de la llegada del Regimiento a la provincia con una nueva expresión cultural que se materializa en este libro, un estudio doctrinal donde Sánchez Esteban nos acerca a la dimensión de la asistencia sanitaria en los conflictos armados.

Nada mejor para conmemorar esta efeméride que hacerlo con el vínculo que ha conectado definitivamente Regimiento y provincia: la Cultura, abordando un asunto de tanta implicación y desde una perspectiva de colaboración junto al ámbito universitario que en Salamanca, como cuna del Derecho de la Guerra, es punto de obligada referencia.

F. JAVIER IGLESIAS GARCÍA
Presidente de la Diputación de Salamanca

Desde hace ya bastantes años el Instituto Español de Estudios Estratégicos, perteneciente al Centro Superior de Estudios de la Defensa Nacional (CESEDEN), viene apoyando a la Universidad de Salamanca en la Cátedra «Almirante Martín Granizo», que desde su creación desarrolla una excelente labor docente orientada a impartir conocimiento de los temas de seguridad y defensa en el ámbito universitario. En sus aulas se han formado miles de alumnos, sobre la necesidad de la protección de los intereses nacionales, dentro del Estado de derecho, como forma de salvaguardia de los valores que a través de la Constitución nos hemos dado los ciudadanos.

La cátedra ha tenido protagonismo en actos organizados por las distintas instituciones salmantinas, entre las que se cuenta la Diputación Provincial, lo que la ha convertido en un referente cultural más de la provincia de Salamanca. Julián Sánchez Esteban, autor de este libro, es el secretario de la cátedra, cargo que desarrolla con gran eficacia y brillantez.

La cátedra además de la labor docente ha tratado de llevar a cabo una labor investigadora relacionada con la seguridad y la defensa. La promoción y realización de actividades investigadoras ha sido y es una constante en el trabajo diario que el equipo directivo de la cátedra realiza y alienta. Buena prueba de esa labor investigadora es la presente publicación dedicada al análisis de los aspectos éticos y legales de la asistencia sanitaria en los conflictos armados, con especial atención a los derechos de los pacientes y los profesionales de la salud.

En esta publicación el autor profundiza en un aspecto doctrinal muy específico del Derecho de la Guerra desde una óptica francamente novedosa, la de la Medicina Legal. Esta área de conocimiento, que se ha preocupado de investigar profusamente los derechos generales de pacientes y profesionales de la salud, se había detenido muy someramente en este aspecto específico de los conflictos armados, que tiene tanto que ver con el desarrollo de la labor asistencial de las profesiones sanitarias en las guerras, que es de vital importancia no sólo para los militares, sino para todos los que se ven inmersos en ellas.

Hay que agradecer al autor del libro, el Dr. Julián Sánchez Esteban, esta publicación en la que se pone de manifiesto la sujeción del equilibrio del acto médico a la ética y al derecho incluso en tiempos de guerra, a la vez que reafirma su compromiso personal con la seguridad y la defensa. Desde el Instituto Español de Estudios Estratégicos, institución dedicada a la reflexión en el nivel político militar sobre todos aquellos aspectos que pueden contribuir a la paz y estabilidad mundial, agradecemos al autor sus aportaciones al estudio doctrinal y que este trabajo lo haya realizado dentro de la Cátedra «Almirante Martín Granizo».

MIGUEL ÁNGEL BALLESTEROS MARTÍN
General Director del Instituto Español de Estudios Estratégicos

El compromiso de la Universidad de Salamanca, como institución de educación superior, siempre se ha situado más allá de la ampliación del conocimiento por medio de la investigación y de la transmisión crítica del saber mediante la actividad docente. El Estudio salmantino, depositario y continuador de una tradición humanística y multisecular con vocación universal, aspira a contribuir, con sus actividades investigadoras y docentes, a la mejora de la calidad de vida en la sociedad, a garantizar la dignidad de las personas, al libre desarrollo en igualdad de todos los pueblos, así como a fomentar y difundir la cultura en todos sus ámbitos.

Para alcanzar estos fines, es esencial la cooperación con otras instituciones. Así, cuando se trata de la defensa de la libertad, la paz y la seguridad, es clave contar con las Fuerzas Armadas y su aportación al bienestar democrático. Esa es la conjunción de intereses que hace posible el convenio entre la Universidad y el Centro Superior de Estudios Superiores de la Defensa Nacional (CESEDEN), por el que se constituye la Cátedra Extraordinaria «Almirante Martín Granizo» de difusión de la cultura de defensa. A través de esta cátedra se ha venido manifestando la perfecta sintonía existente entre la sociedad civil y los distintos estamentos militares, con la organización conjunta de asignaturas, seminarios, jornadas y estudios académicos, en los que se han involucrado la comunidad universitaria y los miembros de nuestros Ejércitos.

Es de justicia reconocer que el éxito de esta cátedra se debe en gran medida a la dedicación y generosidad de su codirector, D. Guido Tessainer Tomasich, y su secretario, el Dr. D. Julián Ramón Sánchez Esteban. Buena prueba de ello es el valioso trabajo de investigación desarrollado por este último, que conforma el contenido en este libro, dedicado a un tema singular: los aspectos éticos y legales de la asistencia sanitaria en los conflictos armados, en conjugación con los derechos de los pacientes y los profesionales de la salud.

Es Sánchez Esteban sin duda un autor metódico, con una gran capacidad para enfrentarse a retos difíciles, como el que supone indagar, desde el rigor científico de la Medicina Legal, en los aspectos deontológicos, asistenciales, normativos, disciplinarios, organizativos y de la propia intervención de la sanidad militar sobre el terreno. Este núcleo doctrinal, que aquí se presenta, se complementará en un futuro próximo con el análisis de la situación real, que permitirá adentrarse en las unidades militares, averiguando sobre sus procesos formativos y el grado de conocimiento, aplicación y respeto de los derechos y deberes contenidos en los acuerdos y normas internacionales para la protección de heridos, enfermos y personal sanitario en conflictos armados.

Las páginas que siguen demuestran que tales desafíos académicos han sido superados con creces, ofreciéndonos un magnífico texto, con el que su autor hace honor al compromiso que mantiene con la Universidad de Salamanca.

JOSÉ ÁNGEL DOMÍNGUEZ PÉREZ
Vicerrector de Promoción y Coordinación
Universidad de Salamanca

ÍNDICE

INTRODUCCIÓN

Si hay algo que destaca en los conflictos armados es el horror que combatientes y afectados están obligados a soportar. En una guerra el sufrimiento es tan habitual que termina por colarse en las vidas de todos los que de forma voluntaria o forzada se ven inmersos en ella, de ahí seguramente el convencimiento general de que la guerra es la negación del Derecho. Pero esta errónea convicción que sin duda anida en las comunidades no puede, no debe, llevarnos a la conclusión de que en estos conflictos todo sirve. Ni ello es así en la conducción de las hostilidades, ni puede serlo en la atención a las víctimas, ni en la actuación de los profesionales de la salud. El Derecho Internacional ha dado respuestas claras para intentar minimizar los horrores de la guerra, protegiendo a los militares heridos y enfermos y a quienes no toman parte en las hostilidades, condenando sin ambages la crueldad innecesaria, prohibiendo las acciones militares de destrucción masiva, tipificando y castigando como crímenes los excesos de autoridad y, a los efectos que nos ocupan, estableciendo mecanismos para que los damnificados de las acciones violentas reciban asistencia sanitaria en condiciones suficientes, iguales y, sobre todo, dignas.

Las normas jurídicas sobre los conflictos armados permiten en cierta forma paliar la crueldad inherente a ellos. Con su concurso las guerras no se terminan, pero sí se hacen más soportables física e intelectualmente, se adecuan a un comportamiento más ético y se someten a unas reglas de enfrentamiento en lo posible más racionales, lo que sin duda no las justifica ni ampara, pero sí minimiza en cierta medida sus efectos.

En ese contexto se enmarca lo que podemos calificar como ética médica de los conflictos armados. Si para cualquier persona una guerra es éticamente insoportable, para los profesionales de la salud se antoja aún más irracional porque son ellos precisamente quienes van a estar más cerca de sus primeras consecuencias. Las armas tienen cada vez más capacidad destructiva y los sanitarios tienen que minorar in situ las consecuencias más graves del desastre, las relacionadas de forma directa e inmediata con la destrucción de la vida humana.

Así las cosas, no hay duda de que, además, el personal sanitario es el grupo más vulnerable de cualquier conflicto, de un lado, por su suprema y absoluta obligación de estar al lado del que sufre, asistiéndolo, procurando su bienestar y cuidando de que en todo momento, aun en las condiciones más extremas, sea respetada su dignidad; y, de otro, por su dependencia jerárquica de quienes dirigen las operaciones, que a fin de cuentas son los que tienen la obligación de poner a su disposición los medios para paliar el sufrimiento extremo que toda guerra conlleva. Son ellos los que tienen que atender heridos y enfermos y, por tanto, los primeros que se relacionan de forma directa e inmediata con la destrucción de la vida humana. Si en su trabajo diario están acostumbrados a lidiar con el dolor, en una guerra además tienen que desenvolverse en medio del horror y, normalmente, en un entorno técnico y terapéutico extremadamente más difícil del que se da en situaciones de paz.

Los médicos y demás profesionales sanitarios de las unidades militares están habituados a trabajar en situaciones extremas, en medio de la selva o del desierto, pero siempre en pleno campo de batalla, y se ven obligados a realizar las más de las veces intervenciones complejas, en ocasiones bajo fuego enemigo, en unas condiciones de asepsia y con unos medios técnicos que sonrojarían a los cirujanos que trabajan en los grandes hospitales, pero consiguiendo unos resultados terapéuticos tan espectaculares que sorprenden a toda la comunidad científica. Por eso es tan importante en estos casos tener presentes las cuestiones éticas, pues sin ellas sería imposible atender a los heridos con la convicción de que ante todo y sobre todo se es un profesional de la sanidad.

Por otra parte y pese a que en la actualidad se da una impresión contraria, el soldado sigue siendo la primera víctima de todo conflicto armado y el primer destinatario de la asistencia sanitaria, de ahí que haya sido necesaria su estricta regulación, para que quienes se ven inmersos en el conflicto tengan a su disposición todos los medios posibles para paliar su sufrimiento. Pese a los modernos equipos, los soldados siguen siendo heridos en el campo de batalla y, por ende, continúan siendo los sujetos pasivos de una asistencia primaria urgente que, aunque cada vez es más sofisticada y rápida, sigue siendo imprescindible.

La guerra convencional actual puede efectivamente haber sorteado aquellos episodios tan angustiosos del pasado, en los que había muchos heridos y pocos medicamentos, cantidades ingentes de pacientes y escasísimos facultativos para tratarlos siquiera con un mínimo de dignidad. Pero eso no quiere decir que el dolor no exista, que se haya terminado. Las víctimas siguen necesitando de atención sanitaria rápida y eficaz y, sobre todo, siguen precisando que se preserven sus derechos para que nadie tenga la tentación de deshacerse de ellos.

Así de duro, así de cruel. Porque si el Derecho tiene que dar respuestas a situaciones extremas, más debe hacerlo en las guerras, en las que la tentación de no respetar la vida humana y la dignidad de la persona es continua. Y para ello no hace falta más que volver los ojos a las últimas confrontaciones armadas. Casos como el de Alepo, en que no se permitió una tregua para poner a salvo heridos, enfermos o ancianos, o como el de Kobani, en el que se ha procedido a decapitar prisioneros de guerra en presencia incluso de niños, ponen de manifiesto la necesidad de respetar los tratados internacionales, imponiendo a los contendientes su cumplimiento.

Obligación y sujeción hacen en definitiva necesaria una normativa clara, adecuada y con validez universal, que se sustente en parámetros éticos sólidos, dé una respuesta a todas las necesidades y, sobre todo, que enmarque un estatuto de pacientes y profesionales que se torne inviolable y pueda aplicarse de forma uniforme y sin fisuras por todos, a todos y en todas las circunstancias, para que los unos puedan desarrollar su trabajo sin interferencias y los otros puedan recibir una asistencia sanitaria adecuada.

Pues bien. El estudio de esa normativa se imbrica absolutamente en el área de la salud. La atención a heridos y enfermos de los conflictos armados es objeto de muy interesantes estudios en los campos del Derecho Internacional y la Sociología, pero un vistazo al estado de la cuestión deja claro que poco o muy poco se ha estudiado desde el área de conocimiento médico-legal, cuando la realidad es que estamos ante un problema asistencial de importantes dimensiones. Así, el Estatuto de pacientes y facultativos en conflictos armados debe ser objeto de atención por los profesionales de la salud, del mismo modo que lo es el de los médicos y enfermos de cualquier sistema público de salud. Nadie duda por ejemplo que el consentimiento informado sea una cuestión médico-legal y en cambio muy pocos se plantean que lo sea la asistencia a un militar herido, cuando en realidad lo es, y muy importante. Incluso, los estudios, publicaciones, investigaciones, análisis y prospectivas de los últimos tiempos están dando la impresión de que los actores del derecho humanitario son casi en exclusiva las organizaciones de socorro y los civiles que se ven inmersos en el conflicto, cuando la realidad es que los primeros destinatarios de la asistencia sanitaria en campaña son los propios militares y que los primeros que la prestan son los facultativos de las unidades que se ven inmersas en la contienda.

Desde este planteamiento, toda la problemática asistencial se plantea en primer lugar en el campo de batalla y debe ser resuelta in situ por los militares, de ahí que la aplicación de los criterios que fijan las normas jurídicas deban aplicarse por los sanitarios uniformados. En definitiva, la normativa relativa a la asistencia sanitaria en conflictos armados está regulando un acto médico y como tal incurso en el ámbito médico legal.

Por otra parte es necesario destacar el notable esfuerzo que las Fuerzas Armadas españolas están realizando por actualizar sus recursos sanitarios, al que hay que añadir el de las organizaciones internacionales y regionales de defensa por normalizar la asistencia, situación que contrasta hoy día con lo que se está viviendo en los conflictos más cercanos a nuestro entorno —los que derivan de las primaveras árabes— que al menos sobre el papel parecen estar llevando la asistencia sanitaria en los teatros de operaciones a un retroceso palmario, unas veces por el radicalismo y ultraviolencia de los contendientes, y otras por la falta de recursos y la improvisación y desorganización de sus tropas.

De este modo, el respeto a los Convenios se está viendo resentido en los últimos tiempos, algo que rechazan absolutamente los ejércitos de nuestro entorno, que compatibilizan la firmeza de su lucha por los valores que defienden con el respeto a las más elementales reglas de enfrentamiento, intentando mantener en sus recursos humanos un nivel de formación y conocimiento adecuado de las normas convencionales, que refuerce la posición institucional de sometimiento al imperio del derecho internacional y sus mandatos de una asistencia sanitaria digna, suficiente y universal para todos los afectados por la guerra.

La asistencia sanitaria en los conflictos armados ha sido objeto de estudio en la Facultad de Medicina de la Universidad de Salamanca, que, además de dirigir determinadas investigaciones a temas concretos, desde hace años mantiene en sus planes de estudio una asignatura de libre elección que se espera pueda transformarse en optativa a partir del próximo curso. Por esta razón, el área de conocimiento de Medicina Legal alentó y dirigió la tesis doctoral del autor de este libro, que básicamente recoge los fundamentos teóricos de la misma. El hecho de que vea la luz en el cincuenta aniversario de la presencia del Regimiento de Ingenieros en Salamanca y que la Diputación Provincial quiera conmemorarlo con la publicación de este estudio doctrinal refuerza aún más si cabe la importancia que tiene su difusión entre las tropas.

Lo que olvida la Épica necesariamente tiene que recordarlo la Ciencia, pues sólo así podremos estar seguros de que incluso en tiempos de guerra la Sanidad estará al lado de quienes la necesitan, aun sin poder demandarla.

1. ÉTICA, DEONTOLOGÍA, BIOÉTICA Y DERECHO MÉDICO

Cuando abordamos el estudio de las normas de una determinada materia solemos confundir los conceptos éticos con los normativos. Para diferenciarlos decimos que la ética es la convicción moral interna y la norma jurídica la respuesta interventora del Estado. Y no es exactamente así.

Según Aristóteles, el hombre no se conforma con vivir, sino que busca la felicidad. La vida no consiste sólo en sobrevivir, sino en llevar una vida plena, en vivir bien. En eso consiste la Ética, en determinar cuál es la forma de vida que da sentido a la existencia humana, en buscar el buen obrar, la virtud. La Ética, en fin, aparece como la clave de la mejor vida[1] y se dirige a la búsqueda del bien moral, que es la virtud. Podemos pues, aunque simplificando, decir que Ética y Moral caminan parejas.

Por su parte, la Deontología es una parte especializada de la Moral, que estudia la moral profesional y como tal se dedica a sentar el actuar honesto de los profesionales. Pero mientras que la Ética se refiere a la satisfacción del hombre por el buen obrar, la Deontología se centra más en los deberes que tal o cual profesional debe cumplir para obrar bien, con lo que esta última es un poco más restringida. La ética es la clave de la mejor vida, mientras que la deontología es el conjunto de deberes que han de cumplirse para ejercer adecuadamente la profesión, lo que en definitiva lleva al buen obrar, porque al fin y al cabo no se puede ser un buen profesional sin intentar ser buena persona.

[1]   BARRIOS MAESTRE, José M.ª: Analogías y diferencias entre Ética, Deontología y Bioética. En *Manual de Bioética* (Coord. Gloria María Tomás Garrido). Ed. Ariel, Barcelona, págs. 21-37.

Según Aristóteles no cabe hacer el bien, al menos de manera habitual, sin procurar ser buena persona[2].

Por otra parte, mientras que la ética encamina sus pasos a determinar qué conductas son las adecuadas para lograr la felicidad y buscar cómo ajustar tales conductas a la verdad inmutable, la deontología en cambio pretende adaptar las conductas profesionales a las expectativas sociales de cada momento. Por eso la moral profesional es más cambiante que la ética. Los códigos de conducta profesional se implican en la realidad social de tal manera que están inmersos en el presente y sujetos a unas relaciones humanas cada día más globalizadas, hasta el punto de que la respuesta de la deontología llega, por una parte, a través de los códigos de buenas prácticas que elaboran y actualizan los colegios profesionales, por otra, por las necesidades de los grupos sociales y, por una tercera, por la afinidad con las autorregulaciones de otras profesiones. Los códigos de buenas prácticas suponen la normativización del catálogo de deberes que los profesionales deben observar si quieren actuar conforme a la moral profesional elaborada en cada momento, asumida y hasta regulada por el propio colectivo.

En el caso de la ética y la deontología médicas, la incidencia social de que venimos hablando fue más significativa en el siglo XX. Si las profesiones, como actividades contrapuestas a los oficios, siempre se han definido por características morales, las sanitarias han tenido un plus de moralidad a lo largo de la historia, precisamente porque son éstas las que mayor relación tienen con el bienestar del hombre. El médico tradicionalmente ha sido depositario de la máxima ética que le obliga a conducirse como un ser bueno para llegar a ser un buen médico, y en ese contexto su trabajo se rodeaba de un plus de moralidad. Ahora bien, esta premisa clásica de que las profesiones en general y la médica en particular no se sujetaban a las normas morales ordinarias y por ello mantenían una posición de privilegio en la sociedad cayó en el pasado siglo acuciada de una parte por los progresos científicos y su difusión, de otra por lo sucedido en la Segunda Guerra Mundial y lo descubierto en aquella época sobre la implicación del colectivo en prácticas indeseables de experimentación, y de otra, en fin, por los avances sociales hacia la igualdad material de todos los hombres.

Hasta ese momento la ética médica fluctuaba en torno a la tradición hipocrática y el denominado paradigma clásico, que según Diego Gracia[3] asigna al

[2] PALLÍ BONET, Julio: *Aristóteles. Ética a Nicómaco*. Gredos, Madrid.

[3] GRACIA, Diego: *Como arqueros al blanco. Estudios de Bioética*. Edición de José Lázaro. Tria Castela, Madrid, págs. 105-278.

profesional cinco notas características: elección, segregación, privilegio, impunidad y autoridad.

Según él, la elección deviene de que los profesionales son personas elegidas, que van a cumplir un papel preponderante en el grupo social. La segregación, por su parte, consiste en que precisamente por ello los profesionales tienen que vivir como diferentes y distanciados de los demás, lo que nos lleva a la conclusión de que en cierto modo gozan de una situación de privilegio, no están sujetos a las mismas normas que los demás y disfrutan de impunidad, esto es, no son perseguibles judicialmente.

Y, por último, su autoridad moral les viene de que están sujetos a una moralidad especial y superior a la común, que les exige un plus en su comportamiento, que va desde ser moralmente intachables hasta, por ejemplo, guardar secreto de lo que conocen por su profesión o estar obligados a actuar siempre en beneficio de los demás y no de uno mismo, incluso cuando no van a recibir retribución.

Continúa el profesor Gracia diciendo que en el paradigma clásico la nota más característica de la moralidad del profesional es la excelencia, refiriendo el concepto no sólo al plano moral, sino también a la vertiente intelectual. Un profesional excelente es el que se infunde de valores para abordar su trabajo con plena capacidad intelectual y científica, ya que sin lo uno no puede conseguirse lo otro.

En la tradición hipocrática base del paradigma clásico, la excelencia o virtud del actuar del médico es curar y prevenir las enfermedades buscando en la naturaleza las causas y efectos y, así, poder intervenir con el debido respeto a la teleología natural[4], al fin último del hombre que es la perfección. Y para alcanzarla, el *Corpus hippocraticum* estructura el actuar del médico sobre una relación médico-paciente que hoy en día es sencillamente inconcebible. Criterios como el paternalista de actuación con el paciente, que se articula en torno a la obediencia y sumisión del último y la no sujeción del facultativo a sus deseos, que no tiene por qué tener en cuenta su opinión e incluso ni siquiera tiene obligación de escucharle, han sido ampliamente superados en los últimos tiempos, en los que ni la legislación ni el cuerpo social ve al médico como un ser superior que domina a sus pacientes. La idea aristotélica de que el enfermo no puede ni debe decidir sobre su propia enfermedad, extendida hasta nada menos que 1847 en que aparece recogida en el Código de la *American Medical Association*, ya no tiene cabida en nuestra sociedad.

---

[4]   RUIZ REY, Fernando: Calidad de vida en medicina: Problemas conceptuales y consideraciones éticas. II. Una mirada a la ética. Juramento Hipocrático Raleigh. *Psicología. Com. Revista internacional on line*, n.º 11, vol. 2, 2007.

Esto no quiere decir que nada de lo consignado en el Juramento sirva o que todo lo concebido por el paradigma clásico tenga que ser desechado. Algunos de sus principios son inmutables y constituirán la ética profesional en todo tiempo. Pero una importante parte de su contenido carece hoy de sentido precisamente por tratarse de un catálogo de deberes de los facultativos que no encuentran justificación en los correlativos derechos de los pacientes.

Si ya el transcurso de los siglos ha modelado las notas características del paradigma como ha hecho con el resto de las relaciones humanas, ha sido en el siglo XX cuando ha caído definitivamente el posicionamiento ético de superioridad que venían manteniendo las profesiones en general y las sanitarias en particular. La vertiginosa evolución de la sociedad y el cambio de su escala de valores, su moral y su estilo de vida han hecho aflorar nuevos sistemas y formas de actuación que han provocado la crisis del paradigma profesional. Primero, en mayo del 68 fue la clase política. Más tarde fueron los militares y religiosos y, finalmente, hacia los 70 del pasado siglo, le llegó el turno a la profesión médica[5].

Los terribles sucesos del nazismo, la aparición de la bioética y los códigos deontológicos terminaron junto a los avances científicos por marcar un nuevo camino a la ética médica, en el que los principios tradicionales de beneficencia y no maledicencia están de una parte adquiriendo una connotación muy diferente a la que tenían, y de otra cediendo su prevalencia a los de autonomía y justicia. El paradigma actual no discute la necesidad de que los profesionales ostenten y manejen enormes poderes, puesto que, si se les quitaran tales prerrogativas, la vida social se desestructuraría, perdería consistencia[6]. Lo que pone en cuestión es el modo de gestionarlos. Hacen falta, pues, nuevas normas que encuadren las profesiones en general y la medicina en particular, que pasen por los dos niveles o cotas de la vida moral de las personas, que son el nivel público que establece una ética de mínimos y el nivel privado o de la ética de máximos[7].

La ética de mínimos viene dada por los principios de maleficencia y justicia, que en el plano de salud se equipararía a una salud de mínimos que el Estado tiene que garantizar a todos sus ciudadanos, mientras que la de máximos se sustenta por los principios de autonomía y beneficencia y en el plano de la salud es una prerrogativa individual que puede y debe definir el sujeto[8].

[5] LOPEZ MARTÍN, Sixto: *Ética y Deontología Médica*. Marbán, págs. 320-326.
[6] *Opus cit*. Pág. 274.
[7] *Opus cit*. Pág. 275.
[8] *Opus cit*. Pág. 328.

Estamos pues ante la construcción de una nueva ética médica que, sin renunciar a determinados aspectos de la hipocrática tradicional, se construya al dictado de criterios civiles, laicos y que además sea universal, racional, autónoma, pluralista, deliberativa, participativa y basada en la responsabilidad[9]. Se trata en definitiva de adecuar la conducta profesional a las expectativas sociales, sin renunciar a los principios inmutables que subyacen en el viejo paradigma. Y ése es el reto que tiene ante sí la deontología en el siglo XXI: conciliar los principios éticos del ejercicio de las profesiones sanitarias con los derechos de los destinatarios de sus servicios. En este sentido, la Organización Médica Colegial de España está haciendo grandes esfuerzos por difundir entre el colectivo la necesidad de ejercer la profesión médica con la inspiración y el referente que devienen de los valores éticos y humanísticos. Así, en el Preámbulo del documento *Los valores de la medicina en el siglo XXI*, preconiza el retorno al humanismo en la medicina, afirmando que los avances técnicos y la burocracia están alejando al médico del paciente. Según el documento, los constantes avances tecnológicos y la masificación de la asistencia sanitaria están afectando a la relación médico-paciente en donde cada vez hay menos tiempo para abordar los aspectos psicológicos, culturales y sociales de cada paciente en particular, limitándose la mayor parte de las veces a estudiar e interpretar los exámenes que proporcionan las máquinas o los laboratorios clínicos[10].

Se hace pues imprescindible, según el Dr. Siguero, revertir esta situación y en ello quiere participar la organización médica colegial, que considera vital la autorregulación que emana de su Código Deontológico de 2011, al que considera un auténtico cuerpo de doctrina que debe servir a los profesionales en ejercicio e incluso estudiantes de Medicina, para que tengan un conocimiento suficiente de la ética y deontología médicas[11].

1.1. Bioética

Paralelamente al desarrollo conceptual de la nueva ética médica ha ido construyéndose toda una doctrina ética en torno a un relativamente nuevo concepto, el de bioética.

---

[9]   *Opus cit.* Pág. 329.

[10]   Siguero Zurdo, Isacio: Preámbulo al libro *Los valores de la medicina en el siglo XXI* (coordinador Marcos Gómez Sancho). Organización Médica Colegial de España, pág. 3.

[11]   Rodríguez Sendín, Juan José: Presentación del *Manual de Ética y Deontología Médica*. Coordinador Joan Monés Xiol. Organización Médica Colegial de España, pág. 9.

El término fue utilizado por primera vez por Potter en 1970[12] para aludir a los problemas que el desarrollo de la tecnología plantea a un mundo en plena crisis de valores. Llamaba así a superar la actual ruptura entre Ciencia y Tecnología de una parte y Humanidades de otra. Esta fisura hunde sus raíces en la asimetría existente entre el enorme desarrollo tecnológico actual, que otorga al hombre el poder de manipular la intimidad del ser humano y alterar el medio, y la ausencia de un aumento correlativo en su sentido de responsabilidad, por el que habría de obligarse a sí mismo a orientar este nuevo poder en beneficio del propio hombre y de su entorno natural.

La bioética surge por tanto, según Potter, como un intento de establecer un puente entre la ciencia experimental y las humanidades. De ella se espera una formulación de principios que permita afrontar con responsabilidad las posibilidades enormes que hoy nos ofrece la tecnología.

¿Pero acaso esta nueva disciplina viene a sustituir a la ética médica como disciplina que hasta hace poco ha venido guiando al profesional de la salud? En absoluto. La ética médica permanece como elemento rector y a la vez parte principal de la bioética. Si como dice Reich la bioética es el estudio sistemático de la conducta humana en el ámbito de las ciencias de la vida y del cuidado de la salud, analizada a la luz de los valores y principios morales, la ética médica no debe considerarse sólo una parte de la bioética, sino que goza de especial relevancia en el conjunto de la nueva disciplina. Por la riqueza de su tradición científica y humana, ausente en el resto de la bioética, posee un especial valor que no puede ser ignorado.

La pretensión pues de construir una ética nueva que rompa con la tradicional carece de fundamento. Ciertamente la bioética afronta problemas nuevos, pero cuenta con los mismos medios de siempre para resolverlos, que son el uso juicioso de la razón y la luz de los valores y principios coherentes con la específica forma de ser del hombre. No puede ser de otra forma.

Por otra parte, la bioética aparece para ocuparse del estudio de los problemas creados por el progreso biomédico y su repercusión en la sociedad. David Roy la define como mecanismos de coordinación e instrumento de reflexión para orientar el saber biomédico y tecnológico en función de una protección cada vez más responsable de la vida humana[13].

[12]   POTTER, Van Rensselaer: Bioethics: La ciencia de la supervivencia. *Revista Perspectives in Biology and Medicine*, 1970.

[13]   ROY, David: La Bioétique. Une responsabilité nouvelle pour le contrôle d'un nouveau povoir. *Revista Relations,* vol. 36, n.º 420, 1976, pág. 310.

Y como quiera que en el proceso tecnológico médico se han involucrado en los últimos tiempos otras disciplinas cada vez más especializadas e interconectadas como la genética, la biotecnología, la biomedicina o incluso la ingeniería biomédica, el nuevo concepto va más allá que la ética médica y se refiere más bien a la ética de la vida biológica, dándole un enfoque secular, interdisciplinar y global, que permite extender su ámbito de aplicación a esas otras ciencias de la vida que sin duda precisan de un entorno deontológico común con el sanitario; de ahí que juristas, pensadores e incluso teólogos vuelvan sus ojos a esta nueva rama de la ética para poner un mayor acento en la valoración de los nuevos problemas que plantean la nueva medicina y la nueva biología[14].

1.2. LOS PRINCIPIOS DE LA ÉTICA MÉDICA

En el art. 1 de su Código de Deontología Médica, la organización médica colegial define la deontología médica como el conjunto de principios y reglas éticas que han de inspirar y guiar la conducta profesional del médico[15], aludiendo así a los principios que inspiran la ética médica que, según Muñoz Garrido, son el conjunto de elementos que ayudan a discurrir racionalmente, es decir, los principios que nos ayudan a discurrir éticamente.

Esta ética de los principios o principialismo surgió en Estados Unidos hacia el año 1974, cuando se creó la *National Comission for the protection of Human Subjects of Biomedical and Behavorial Sciences*, comisión que trataba de elaborar una guía acerca de los criterios éticos que debían guiar a la investigación con seres humanos y que en 1978 publicó el llamado informe Belmont, que en un principio tenía como objeto la protección de los seres humanos empleados en tareas de investigación. El informe en cuestión proclama tres principios básicos que son respeto a las personas, beneficencia y justicia, afirmando además que con la expresión «principios éticos básicos» se alude a aquellos criterios generales que sirven como base para justificar muchos de los preceptos éticos y valoraciones particulares de las acciones humanas.

Al año siguiente, Beauchamp y Childress publicaron su libro *Principios de ética biomédica*, que es considerado el texto más influyente del movimiento bioético. En su segunda parte se enumeran los cuatro principios que los autores

[14]   ABEL, Francesc S. J.: Bioética: un nuevo concepto y una nueva responsabilidad. *Revista Selecciones de Bioética*, 2002. Pontificia Universidad Javeriana, Bogotá, pág. 29.

[15]   MONÉS XIOL, Joan (Coord.): *Manual de Ética y Deontología Médica 2012*. Organización Médica Colegial de España, pág. 22.

—y con ellos toda la comunidad científica— consideran fundamentales en la ética médica y la bioética y que son beneficencia, no maleficencia, respeto a la autonomía y justicia, que tienen que orientar moralmente las decisiones y que se tienen que aplicar a situaciones médicas concretas, en vista a identificar, analizar y resolver los conflictos éticos que se plantean. Con su aplicación los autores entienden que se dan cumplidas respuestas a los problemas que plantean el desarrollo y la aplicación de las ciencias de la salud, y además es una guía contrastada para ayudar a los profesionales sanitarios a establecer con sus pacientes una relación ética correcta[16].

1.2.1. *El principio de beneficencia*

Dice López Martín[17] que este principio es la ley suprema de la medicina y consiste en la obligación de los profesionales de la salud de obrar en función del mayor beneficio posible para el paciente y procurar el bienestar de la persona enferma. Aliviar el daño, hacer el bien y ayudar a los enfermos por encima de los intereses particulares son, por tanto, los objetivos primarios que todo profesional de la medicina debe fijarse en su día a día, lo que necesariamente conlleva una concreta forma de dirigirse en el ejercicio de la profesión, en la que la atención al paciente debe primar por encima de cualquier otra consideración, una atención que debe ser digna, respetuosa y adecuada a su estado de salud.

Obrar con arreglo a este principio significa actuar pues en beneficio del paciente, cumplir con la obligación de procurar en todo momento su sanación, no causarle ningún daño y aliviar su sufrimiento, brindarle, en definitiva, un servicio de calidad que redunde en el mayor beneficio para su salud.

Ahora bien, hacer el bien no significa hacer caridad, ni siquiera dar cariño. López Martín describe perfectamente la diferencia cuando afirma que el principio de beneficencia no obliga al médico a ser amable, cariñoso o querer a los enfermos, porque éste es un aspecto muy personal de la atención y como tal muy subjetivo, que normalmente va a aparejado y se compensa con vocación[18]. Hacer el bien significa actuar como mejor le convenga al paciente y a la salud

---

[16] MIR TUBAU, Joan y BUSQUETS ALIBER, Ester: Comentario del libro *Principios de Ética Biomédica*, de Beauchamp y Childress. *Revista Bioètica & Debat*, vol. 17, n.º 64. Sept.-Oct., 2011, pág. 3.

[17] LÓPEZ MARTÍN, Sixto: *Ética y Deontología Médica Ética de los problemas en atención primaria en la provincia de Toledo*. Repositorio USAL, pág. 37.

[18] *Opus cit*. Pág. 38.

de la sociedad, algo que como se comprende no está directamente relacionado con el mejor trato personal. Precisamente la relación entre médico y enfermo está sufriendo en la actualidad una profunda transformación que va pareja a la que está viviendo toda la sociedad, que hace que el facultativo ocupe el espacio del prestador de un servicio y el paciente el del usuario del mismo, con todas sus ventajas e inconvenientes, pues esa relación prestador-consumidor a la que poco a poco se va tendiendo desnaturaliza el vínculo sanitario-paciente privándole del humanismo que debe presidir tal relación.

Sea como fuere, este principio se vincula con la norma moral que exige promover siempre el bien y debe dirigirse en todo momento a garantizar la salud de la sociedad, por lo que no debe centrarse únicamente en curar o en restablecer la salud, sino también en prevenir, educar y mantener la salud colectiva, siendo por tanto informador de la actuación no sólo de profesionales sanitarios, sino también de docentes, investigadores y hasta gestores de salud.

Por otra parte, el principio de beneficencia encuentra su límite en la máxima de no causar daño a nadie, a menos que tal perjuicio esté intrínsecamente unido al beneficio a alcanzar[19]. La cuestión estriba lógicamente en la capacidad del facultativo para deslindar y gradar daño y beneficio, porque el problema radica en que lo que para unos supone un mayor beneficio, para otros en cambio lo que se pierde no justifica el provecho que se obtiene. Es la clásica visión del vaso medio lleno o medio vacío, que nos lleva inexorablemente a la intervención paternalista del médico y con ello al paternalismo o abuso del principio de beneficencia.

El principio de beneficencia data de la tradición hipocrática que lo establecía desde una concepción paternalista que no se ha cuestionado prácticamente hasta nuestros días. Desde Hipócrates hasta bien entrados los años 1960 en USA, y los 80 en España, la medicina se ejercía en beneficio del enfermo pero su consentimiento era irrelevante; al enfermo se le había expropiado su capacidad de decidir, no sólo cuando estaba enfermo, sino también sano en relación a todas las medidas preventivas[20]. Pero aún hoy puede hablase de paternalismo en sentido estricto, y se presenta cuando el profesional médico aplica sus conocimientos, técnicas y tratamientos sin tener en cuenta las decisiones y los deseos del paciente, algo que por otra parte debería haberse superado con el consentimiento informado.

[19]   FERRO, María; MOLINA, Luzcarían y RODRÍGUEZ, William A.: La Bioética y sus principios. *Acta Odontológica Venezolana*. Vol. 47-2, 2009.

[20]   FERRER GELABER, Sandra: *Del paternalismo a la autonomía, reflexiones*. En http://www.medicosypacientes.com. Consejo General de Colegios Oficiales de Médicos de España. N.º 1720 de 21 de enero de 2015.

Ciertamente la relación médico-paciente es desigual, puesto que el médico posee conocimiento, formación y preparación sobre algo que el paciente desconoce. El vínculo que se establece entre ambos no se posiciona de partida en un plano de igualdad, siendo muy frecuente que el médico, en una interpretación inadecuada y hasta abusiva del principio de beneficencia, adopte una actitud paternalista. Y, por lo mismo, también es habitual que sean los propios pacientes los que busquen y alienten la intervención paternalista del profesional[21].

El paternalismo así considerado es pues una mezcla de beneficencia y poder, que en principio puede ser interpretada como positiva, ya que su fin último es la búsqueda del bienestar del paciente[22]. Sin embargo, no puede negársele una vertiente negativa porque ese poder en ciertos casos llega a anular los deseos que pueda tener el paciente.

El supuesto ejercicio de paternalismo debe analizarse, pues, teniendo en cuenta las circunstancias concretas en las que se presenta el dilema. En principio es preferible hoy en día optar por una beneficencia no paternalista, que intente hacer el bien y ayudar al paciente teniendo en cuenta sus deseos y necesidades. Es decir, que se puede pensar en una beneficencia que tiene en cuenta el expreso consentimiento del paciente. Asimismo, cuando el consentimiento es imposible por diversos motivos (por ejemplo, en el caso de niños o deficientes mentales), la obligación moral de la beneficencia impone hacer el bien y buscar siempre el beneficio del paciente. En este sentido Pellegrino y Thomasma han reivindicado el principio de beneficencia, pretendiendo ofrecer una alternativa a la polaridad entre los modelos de autonomía y paternalismo médico y proponiendo como modelo una «beneficencia fiduciaria», basada en el valor de la confianza como elemento-guía de la relación clínica[23], según la cual los pacientes buscan a los médicos cuando algún síntoma adverso amenaza su salud, produciéndose un acto de confianza en el médico y la organización sanitaria que prolonga la relación personal profesional-paciente por medio de la cual el segundo se apoya en el primero confiándole su sanación y construyendo una relación desigual y asimétrica por la que se delega en el médico toda decisión terapéutica. De esta forma se acepta un cierto grado de desigualdad entre las partes aunque salvando el principio de autonomía[24].

[21] LOPEZ MARTÍN, Sixto: *Ética y Deontología Médica Ética de los problemas en atención primaria en la provincia de Toledo.* Repositorio USAL, pág. 40.

[22] GRACIA, Diego: *Fundamentos de Bioética,* pág. 99.

[23] CASADO DA ROCHA, Antonio: *Bioética para legos. Una introducción a la ética asistencial.* Plaza y Valdés, pág. 137.

[24] PELLEGRINO, Edmundo: Ethics and the Moral Center of the Medical Enterprise. *Bulletin of the New York Academy of Medicine,* n.º 54, 1978, págs. 625-640.

Estas tesis han sido igualmente formuladas en nuestro país por diversos autores entre los que destaca Camps, que distingue entre paternalismo justo e injusto, entendiendo que el primero busca el bien ajeno, mientras que el segundo busca el propio bien aprovechándose de las concretas situaciones[25], o Seoane, que abundando en el tema afirma que en el ámbito asistencial ya no cabe, como en épocas pasadas, una confianza absoluta e incondicionada ni tampoco una confianza global. La confianza del paciente en el profesional asistencial no es según él un dato exacto o un prerrequisito asegurado en la relación clínica, sino que tiene que ser promovida por ambas partes: el paciente o usuario ha de desearla y el profesional asistencial ha de conquistarla y merecerla con su actuación profesional[26].

Luego, en definitiva, el paternalismo clásico ha dado paso a una especie de paternalismo consentido en el que el paciente puede ceder voluntariamente su capacidad de consentir al médico en base a la confianza que tanto el sistema como el propio facultativo le inspiran, con lo que puede decirse que la gran diferencia del concepto de beneficencia actual con la definición antigua radica en que ahora la beneficencia implica autonomía individual: «No puede haber beneficencia si el paciente no la percibe como beneficente» y si no se respeta la beneficencia general de la sociedad[27].

1.2.2. *El principio de no maleficencia*

El término maleficencia deriva de los vocablos latinos *malum* (mal) y *facere* (hacer). Con el no privativo anterior al término se indica la negación a hacer el mal o, lo que es lo mismo, con el adagio latino *malum vitandum*, de evitar el mal[28]. El principio se vincula a la tradición hipocrática, aunque lo cierto es que no aparece de forma literal en el Corpus, en el que se dice que «utilizaré el tratamiento para ayudar a los enfermos según mis capacidades y mi juicio, pero nunca lo utilizaré para dañarlos, del modo que sea».

Es con el de beneficencia el más antiguo de los principios éticos, aunque son Beauchamp y Childress los primeros que otorgan al principio de

[25] CAMPS, Victoria: Paternalismo y bien común. *Cuadernos de Filosofía del Derecho*, n.º 5, 1988, Doxa, págs. 195-197.

[26] SEOANE, José Antonio: La relación clínica en el siglo XXI: cuestiones médicas, éticas y jurídicas. *Revista Derecho y Salud*, vol. 16, extra 1, 2008, págs. 1-28.

[27] THOMPSON GARCÍA, Julia: *Los principios de la ética biomédica*. Sociedad Colombiana de Pediatría. Fascículo Precop. Módulo 4. 2006.

[28] POSTIGO SOLANA, Elena: *Diccionario de Bioética* (Dir. Carlos Simón Vázquez). Montecarmelo, págs. 108-117.

no maleficencia autonomía propia, considerándolo un principio que obligaba siempre, salvo en aquellas situaciones en las que entre en conflicto con otro principio. Para ellos, pues, no es un principio absoluto[29].

No piensan lo mismo otros autores, que opinan que hay que dar prioridad a no hacer daño por encima de cualquier otra consideración. Muñoz Garrido entiende que incluso está por encima del deber de hacer el bien. Por su parte López Martín afirma que la obligación de no hacer daño intencionadamente al enfermo debe cumplirse incluso aunque el propio paciente lo pida[30].

Con estas premisas, en la actualidad el debate sobre el contenido del principio es muy intenso. No es precisamente fácil ni pacífico determinar en qué consiste no hacer daño porque en su concreción influyen decisivamente ideología y religión. Cuestiones tan importantes como el derecho a la vida y a la denominada buena muerte se encuentran en el centro de la controversia y afectan sin duda a la no maleficencia. Y es que determinar dónde empieza la obligación de no dañar y dónde termina la autonomía del paciente es muy difícil y coloca al profesional en el centro de una decisión, que aunque normalmente impone la legislación, en muchos casos se mueve en una delgada línea que separa lo legalmente admisible de lo moralmente insoportable. En la mayor parte la acción terapéutica conlleva ciertos riesgos que, se quiera o no, es necesario asumir para lograr la curación. Si ya cualquier intervención quirúrgica por mínima que sea supone asumir los riesgos que le son inherentes, por ejemplo, la anestesia o la posibilidad de infección, cualquier tratamiento farmacológico puede desencadenar efectos secundarios más o menos perniciosos, con lo cual es muy raro que la aplicación de la medicina al paciente no precise poner en la balanza riesgos y beneficios. De este modo, considerar el principio de no maleficencia como algo absoluto acabaría con la medicina, de ahí que lo más sensato sea aplicar la doctrina ética del doble efecto y tomar la decisión en función de la proporción daño/beneficio que el acto médico conlleva[31].

Precisamente la controversia sobre no maleficencia se hace más incisiva tanto en el inicio como en el fin de la vida. Aborto y eutanasia están en el centro del debate y se relacionan íntimamente con este principio, por cuanto que son los profesionales de la salud los que casi siempre se ven envueltos en tales prácticas. El dilema sobre matar o dejar morir o incluso sobre la consideración del feto como ser humano afecta directamente a la legitimidad del

[29] BEAUCHAMPS, Tom y CHILDRESS, James: *Principios de Ética Biomédica*, pág. 179.
[30] LÓPEZ MARTÍN, Sixto: *Ética y Deontología Médica Ética de los problemas en atención primaria en la provincia de Toledo.* Repositorio USAL, pág. 43.
[31] *Opus cit.* Pág. 45.

acto médico y por tanto a la obligación de no causar daño, del *primun non nocere* hipocrático.

Sobre el aborto la doctrina está radicalmente dividida entre quienes opinan que su práctica vulnera el principio de no maleficencia y quienes no lo creen así. Suele distinguirse entre el aborto terapéutico, el ético o humanitario, el eugenésico y el socioeconómico[32], adoptándose por lo general posiciones distintas ante cada uno de ellos, y siendo los autores por lo general más permisivos en los tres primeros casos que en el tercero. Las posiciones ante el dilema por lo general tienen que ver con la primacía que unos dan el principio de autonomía y otros al de no maleficencia. En cualquier caso el tema tiene, como hemos dicho, fuertes connotaciones ideológicas y religiosas. No es objeto de este trabajo analizar las distintas posiciones ni acercarse a un estudio crítico del problema, por lo que sólo lo dejamos apuntado.

Sí ha de serlo en cambio la eutanasia, precisamente porque en los conflictos armados pueden llegar a producirse muchas situaciones límite, en las que cualquier profesional de la salud tenga que plantearse el dilema.

El concepto de eutanasia, como muerte tranquila y sin dolor, como buena muerte, viene de la antigua Roma, aunque con el correr del tiempo ha sufrido una evolución en cuanto a su significado y contexto. Muñoz Garrido la define como una conducta propia o ajena, solicitada o ignorada, que origina la muerte de persona portadora de grave o incurable minusvalía, enfermedad o deterioro corporal, para terminar con el dolor insoportable o porque se estima que ello no hace posible la pervivencia en condiciones humanas[33].

Tan completa definición fue expuesta por Muñoz Garrido en la Comisión Especial de Estudios sobre la Eutanasia del Senado. En su comparecencia en la sesión del jueves 8 de abril de 1999, que tituló «Algunas Consideraciones Éticas, Jurídicas y Médicas sobre Eutanasia»[34], reflejó su pensamiento sobre el particular. Para él no puede confundirse la eutanasia con la denominada eutanasia pura, la eutanasia larvada, la ortotanasia y la eutanasia eugénico-económica.

La eutanasia pura es, según Muñoz Garrido, la asistencia médica que busca el alivio del dolor sin acortamiento de la vida del paciente y que por tanto

[32] GAFO, Javier: *Aborto, 10 palabras claves en bioética.* Verbo Divino, págs. 44-46.

[33] MUÑOZ GARRIDO, Rafael: Eutanasia. Aspectos legales. *Sal Terrae. Revista de Teología Pastoral,* 2001, pág. 551.

[34] MUÑOZ GARRIDO, Rafael: Comparecencia ante la comisión especial de estudios sobre la eutanasia. *Boletín Oficial de las Cortes Generales. Diario de Sesiones del Senado.* VI Legislatura. Comisiones, n.º 414, pág. 2.

consiste en un acto médico sin significación jurídico-penal porque en él falta el elemento esencial, el acto de matar.

La eutanasia larvada consiste en la aplicación, con consentimiento del enfermo, de tratamientos encaminados a mitigar el dolor aunque puedan tener efectos secundarios o incluso anticipar una muerte ya de por sí próxima o inminente. En este caso el objetivo del facultativo es aliviar el sufrimiento, aunque ello sea a costa del acortamiento de la vida que, no olvidemos, ya de por sí tiene muy poca expectativa. Como Muñoz Garrido creemos que esta práctica, entre la que se incluyen por ejemplo los tratamientos con opiáceos, que tiene como objeto mitigar el dolor y no está demostrado que acorte la vida, no debe tener repercusiones penales. Y es que como dijo en su comparecencia en el Senado, el tratamiento con morfínicos no constituye exceso de riesgo tolerable, sino práctica médica correcta[35].

La ortotanasia, o dejar morir en paz, consiste en la retirada de todo remedio terapéutico porque la prolongación de la vida del enfermo, abocado ya a la muerte, es irrazonable y desproporcionada. Para Muñoz Garrido supone la antítesis de la obstinación terapéutica y no puede confundirse con las conductas eutanásicas que se realizan mediante comisión por omisión. En la comparecencia citada aclaró que no aplicar o suspender cuidados médicos puede ser unas veces eutanasia, por cuanto mediante una conducta omisiva se mata deliberadamente al enfermo, mientras que en otras ocasiones es el modo correcto de no someter al enfermo incurable y terminal a tratamientos médicos ya ineficaces.

El criterio diferenciador, pues, vuelve a ser el acto de matar. En definitiva, la ortotanasia tiene relación directa con el derecho del enfermo a morir dignamente.

Por último, la eutanasia eugénico-económica alude a conductas destinadas a eliminar seres humanos sanos o enfermos por simples móviles de carácter eugenésico o económico, y que constituyen delito en cualquier caso.

Sentado pues qué prácticas no están comprendidas en el concepto de eutanasia, habremos de concretar ahora precisamente cuáles se comprenden en él. Si la definición de Muñoz Garrido ya citada es suficientemente descriptiva, no lo es menos la que la Asociación Médica Mundial (AMM) desarrolla en relación con la participación del médico en la misma. Dice la AMM que «la eutanasia, es decir, el acto deliberado de poner fin a la vida de un paciente, aunque sea por voluntad propia o a petición de sus familiares, es contraria a la ética. Ello no impide al médico respetar el deseo del paciente de dejar que el proceso natural de la muerte siga su curso en la fase terminal de su enfermedad»[36].

[35] *Opus cit.* Pág. 3.
[36] ASOCIACIÓN MÉDICA MUNDIAL: *Manual de Ética Médica 2009.* AMM, pág. 59.

Junto a la eutanasia, aunque con plena distinción de ella, se coloca la ayuda al suicidio, entendida como la acción de proporcionar en forma intencional y con conocimiento a una persona los medios o procedimientos o ambos necesarios para suicidarse, incluidos el asesoramiento sobre dosis letales de medicamentos, la prescripción de dichos medicamentos letales o su suministro[37].

Dicho esto, en ambos casos las peticiones de los pacientes se producen porque el dolor o el sufrimiento se consideran tan insoportables que los afectados prefieren morir que continuar viviendo con ello. Y, ante tal situación, son muchos los que consideran que su derecho a morir incluye el derecho a tener ayuda para morir, el derecho a la asistencia sanitaria para bien morir cuando ellos lo demanden. Ahora bien, la mayor parte de los códigos de ética médica prohíben a los facultativos participar de tales prácticas[38].

La Organización Médica Colegial de España lo refrenda y refuerza al establecer en el art. 36.1 de su Código de Deontología Médica que «El médico tiene el deber de intentar la curación o mejoría del paciente siempre que sea posible. Cuando ya no lo sea, permanece la obligación de aplicar las medidas adecuadas para conseguir su bienestar, aun cuando de ello pudiera derivarse un acortamiento de la vida, contando con el consentimiento del paciente». Y continúa en el apartado 3 diciendo que «el médico nunca provocará intencionadamente la muerte de ningún paciente, ni siquiera en caso de petición expresa por parte de éste».

Mas esta consideración ética —los Códigos de Deontología no son normas jurídicas— no puede llevarnos a la conclusión de que se debe mantener la vida a toda costa. La obligación de atención no justifica en modo alguno el encarnizamiento terapéutico, que no es más que la insistencia en aplicar un tratamiento que se ha demostrado inútil o ineficaz, con la sola intención de mantener al paciente con vida a toda costa. A este respecto el Código de Deontología da una respuesta clara en el número 2 del artículo 36 tantas veces citado cuando dice:

> «El médico no deberá emprender o continuar acciones diagnósticas o terapéuticas sin esperanza de beneficios para el enfermo, inútiles u obstinadas. Ha de tener en cuenta la voluntad explícita del paciente a rechazar dicho tratamiento para prolongar su vida.

[37] *Opus cit.* Pág. 57.
[38] *Opus cit.* Pág. 58.

Cuando su estado no le permita tomar decisiones, tendrá en consideración y valorará las indicaciones anteriormente hechas y la opinión de las personas vinculadas responsables».

Y es que, como dijo Muñoz Garrido en su comparecencia en el Senado, la ética médica impone al médico el deber deontológico de reconocer que la actuación médica tiene límites y que el abuso tecnológico causa en el paciente y entre sus familiares sufrimiento, humillación e indignidad. El respeto por la vida terminal forma parte del mínimo ético que define el núcleo de la profesión médica[39]. La frase no ha perdido vigencia a pesar del tiempo transcurrido.

En todo caso, el rechazo de la eutanasia y la ayuda para suicidios que defienden sin ambages las organizaciones médicas colegiales no significa que el médico no pueda hacer nada por un paciente terminal. En los últimos años, se han logrado importantes avances en los tratamientos paliativos para aliviar el dolor y el sufrimiento. La medicina paliativa cumple y respeta las condiciones de dignidad de la persona humana en un paciente con enfermedad terminal, proporcionándole unos cuidados paliativos que pueden ser definidos como el cuidado total y continuado del paciente y su familia por un equipo multiprofesional cuando la expectativa médica ya no es la curación.

En tales casos los médicos no deben abandonar a los pacientes moribundos, sino que deben continuar la entrega de una atención compasionada, incluso cuando ya no es posible su curación[40]. Su objetivo primario no es pues prolongar la supervivencia, sino conseguir la más alta calidad de vida presente para el paciente y su familia. Debe cubrir las necesidades físicas, psicológicas, sociales y, en su caso, espirituales. Si es necesario, el apoyo debe extenderse también al proceso del duelo[41].

Después de todo lo dicho se puede concluir afirmando que la doctrina mayoritaria de la ética médica se pronuncia en contra de la eutanasia y de la obstinación terapéutica, y a favor de la medicina paliativa, criterio que siempre proclamó la ética médica de todos los tiempos manteniendo la máxima de curar cuando ello es posible, aliviar siempre y acompañar al enfermo desde el principio hasta el final[42].

[39] MUÑOZ GARRIDO, Rafael: Comparecencia ante la comisión especial de estudios sobre la eutanasia. *Boletín Oficial de las Cortes Generales. Diario de Sesiones del Senado*. VI Legislatura. Comisiones, n.º 414, pág. 3.

[40] AMM: *Manual de Ética Médica 2009*. AMM, pág. 59.

[41] MUÑOZ GARRIDO, Rafael: Comparecencia ante la comisión especial de estudios sobre la eutanasia. *Boletín Oficial de las Cortes Generales. Diario de Sesiones del Senado*. VI Legislatura. Comisiones, n.º 414, pág. 4.

[42] *Opus cit*. Pág. 5.

1.2.3. *El principio de Justicia*

Si en la tradición aristotélica Justicia significa dar a cada uno lo suyo, este principio bioético se refiere a que cada individuo concreto debe ser tratado en forma justa, lo que implica que todos han de ser tratados con el mismo respeto y que en la atención médica está prohibida cualquier tipo de discriminación[43].

Para Beauchamp y Childress, justicia es la responsabilidad de las personas, Estados y sociedades de dar trato igual, equitativo y apropiado a los demás, a la luz de lo que se debe a las personas o es de su pertenencia[44].

La bioética ha realizado importantes contribuciones en el ámbito de la justicia en el acceso a los servicios de atención de salud y en la asignación de recursos, precisamente porque el principio viene referido sobre todo a la justicia distributiva. Dar a cada uno lo suyo significa en el ámbito de la salud que todos deben recibir el mismo trato por parte de los servicios sanitarios, que todos deben tener las mismas oportunidades y que todos, en definitiva, deben acceder a diagnósticos y tratamientos en igualdad de condiciones. Ahora bien, pese a ello, la relación entre desigualdades socioeconómicas y salud es evidente y prueba de ello es que siguen existiendo muchísimas diferencias en salud, incluso en los países más desarrollados. Y aunque haya motivos demográficos, geográficos, étnicos o de género que acrecienten esas diferencias, son los socioeconómicos los que más se reflejan en el acceso a los servicios de salud y, por tanto, los que más tienen que ver con la deficiente distribución de recursos.

El principio de justicia comprende por otra parte el uso racional de recursos disponibles que permita el ejercicio pleno del derecho a la salud, lo cual nos lleva a la obligación del Estado de asegurar un mínimo de calidad en la atención sanitaria a los ciudadanos. La cuestión es concretar ese mínimo. En otras palabras, existe acuerdo en aceptar cierto grado de desigualdad en salud, pero existe desacuerdo en torno a qué grado de desigualdad es moralmente aceptable[45].

Hoy día, la consideración de la salud como un valor cuya protección asume el Estado hace que se considere que el mínimo a que nos referimos encuentre un límite en los recursos que el propio Estado allegue o pueda allegar a la prestación de servicios sanitarios. Las personas acuden a los servicios públicos

---

[43] LÓPEZ MARTÍN, Sixto: *Ética y Deontología Médica Ética de los problemas en atención primaria en la provincia de Toledo.* Repositorio USAL, pág. 52.

[44] BEAUCHAMP, Tom L. y CHILDRESS, James F.: *Principios de ética médica.* Masson, pág. 312.

[45] FERRER LUES, Marcela: Equidad y Justicia en salud. Implicaciones para la bioética. *Acta Bioethica*, 2003, pág. 119.

de salud cuando consideran que los necesitan, lo cual determina que para dar a cada uno lo suyo cada vez se necesiten mayores presupuestos, de ahí que incluso por criterios de justicia distributiva el acceso y contenido de tales prestaciones no puede quedar a criterio del usuario. Es el Estado es el que tiene que poner el límite, teniendo en cuenta los recursos disponibles, las capacidades del sistema y las situaciones socioeconómicas de los administrados.

Para que pueda proclamarse el imperio del principio de justicia hay que llevar a cabo una distribución equitativa y justa de los recursos, que mejore el nivel general de salud de la población. Y para lograr ese punto de equidad es necesario evitar restricciones o privilegios, porque el derecho a la salud se incardina en el acervo del individuo de tal manera que, aunque esté sujeto a los recursos disponibles del Estado, es un derecho exigible en justicia que no puede confundirse nunca con la caridad.

En definitiva, un sistema de atención médica justo requiere pues un diseño de normas deontológicas que definan tanto las responsabilidades del Estado con los ciudadanos, como la distribución equitativa y justa de los recursos, para que el sistema sanitario sea eficaz y eficiente y a la vez evite las restricciones o privilegios a los que arbitrariamente pueden estar sometidas las personas en la atención de salud[46].

1.2.4. *El Principio de Autonomía*

Se entiende por autonomía la capacidad que tiene un individuo o una parte de la sociedad de obrar sin ningún tipo de interferencia o limitación, dándose a sí mismo una regla de acción[47].

Aplicado a la asistencia sanitaria, el principio de autonomía tiene en cuenta la libertad y responsabilidad del paciente, que decide lo que es bueno para él aunque ello no sea compartido por el médico. Por este principio se exige respeto a la capacidad de decidir de las personas y a que se respete su voluntad en aquellas cuestiones que se refieren a ellas mismas, a sus terapias, tratamientos e intervenciones en su propio cuerpo.

Aunque el término deriva de los vocablos griegos αυτός (propio, por uno mismo) y νόμος (ley-regla), se trata del más moderno de los principios de la bioética. Hasta el siglo V no se conocía que una persona actuara

[46] LAVADOS MONTES, Claudio y GAJARDO UGÁ, Alejandra: El Principio de Justicia y la Salud en Chile. *Acta Bioethica*, 2008, pág. 210.

[47] POSTIGO SOLANA, Elena: *Diccionario de Bioética* (Dir. Carlos Simón Vázquez). Montecarmelo.

por expectativas diferentes de la familia o estrato social al que pertenecía. Boecio modifica el paradigma y define a la persona como sujeto independiente del grupo social y exige respeto a su capacidad de decisión y a su voluntad en las cuestiones que se refieran a ella[48].

Ya en el siglo XVII Locke, que estructura su filosofía política alrededor del concepto de autonomía, aboga por la defensa de los derechos individuales y traza la esfera de la autonomía individual que todo Estado debe respetar, en la que se sitúan unos derechos individuales básicos en los que el Estado no puede interferir sin previa autorización del individuo: derecho a la vida, a la salud, a la libertad y a la propiedad.

Kant en el siglo XVIII desarrolla este concepto de autonomía y lo liga al de respeto de la persona, llegando a la conclusión de que no es lícito tratar a los demás seres humanos sin que precedentemente haya habido un consentimiento libre por parte de éstos[49]. De esa época data la primera decisión judicial de que se tiene conocimiento, que tiene lugar en Inglaterra en 1747, y en la que se condena a un médico y un boticario, Baker y Stapleton, por no sólo rechazar la petición del paciente de retirar unos vendajes colocados para curar una fractura en una pierna, sino por romper el callo de la fractura mal consolidada e instalar un aparato ortopédico inventado por ellos. El Tribunal enjuiciador falló a favor del paciente por estimar que el mero consentimiento a una intervención quirúrgica es un prerrequisito para su realización[50].

Desde entonces poco a poco las tesis autonomistas fueron abriéndose paso en la jurisprudencia hasta que, en 1914, el juez Cardozo afirmó en una sentencia que «todo ser humano adulto y con plenas facultades mentales tiene derecho a determinar lo que va a hacer con su propio cuerpo, y un cirujano que realice una operación sin el consentimiento de su paciente comete una agresión a la persona, siendo responsable de los daños que origine»[51]. Con ello se consagraba definitivamente la autonomía de la voluntad de los enfermos, que sin embargo no adquirió carácter de principio general hasta la segunda mitad del siglo XX, en que comenzó a hablarse de la humanización de la sanidad y propugnarse la práctica de una medicina centrada en el paciente.

---

[48]   MAZO ÁLVAREZ, Héctor: La Autonomía: principio ético contemporáneo. *Revista Colombiana Ciencias Sociales*, vol. 3, 2012, págs. 115-132.

[49]   POSTIGO SOLANA, Elena: *Diccionario de Bioética* (Dir. Carlos Simón Vázquez). Montecarmelo. 2006.

[50]   FADEN, Ruth; BEAUCHAMP, Tom y KING, Nancy: *Historia y teoría del consentimiento informado*. Oxford University Press, 1986, pág. 116.

[51]   LÓPEZ MARTÍN, Sixto: *Ética y deontología Médica*. Marbán, pág. 320.

Fruto de esta nueva orientación, en 1979 la Comisión Nacional para la Protección de los Sujetos Humanos ante la investigación biomédica y de comportamiento creada por el Departamento de Salud, Educación y Bienestar de los Estados Unidos elaboró un informe titulado «Principios éticos y pautas para la protección de los seres humanos en la investigación», que es conocido mundialmente como el Informe Belmont, en el que se enuncian los principios éticos fundamentales para usar sujetos humanos en la investigación. El primero de ellos es el respeto por las personas, del que dice que incorpora al menos dos convicciones éticas: primera, que el individuo, como ser capaz de deliberar sobre sus objetivos personales y actuar bajo la dirección de esta deliberación, debe ser tratado como ente autónomo y segunda, que las personas cuya autonomía está disminuida deben ser objeto de protección.

Según el informe citado, respetar la autonomía es dar valor a las opiniones y elecciones de las personas y abstenerse de obstruir sus acciones, a menos que éstas produzcan un claro perjuicio a otros. Mostrar falta de respeto por un agente autónomo es repudiar los criterios de estas personas, negar a un individuo la libertad de actuar según tales criterios o hurtar información necesaria para que puedan emitir un juicio cuando no hay razones convincentes para ello[52].

La autonomía por tanto, es actuar con conocimiento de causa y sin coacción externa y surge como una manifestación de la libertad humana y del reconocimiento de su dignidad y valor de la persona.

Hoy, el Informe Belmont continúa siendo una referencia esencial para que los investigadores y grupos que trabajan con sujetos humanos en investigación se aseguren que los proyectos cumplen con las regulaciones éticas.

Más tarde Beauchamp y Childress, enunciaron los cuatro principios que deben regir la toma de decisiones en bioética, en la formulación que se sigue manejando hoy día: autonomía, no maleficencia, beneficencia y justicia[53]. Y priman el respeto por la autonomía como contraposición a la posición paternalista de la medicina anterior, que requiere que las personas estén capacitadas para ordenar sus valores y creencias y para actuar sin intervenciones controladoras de otros. Ahora bien, para Beauchamp la autonomía ha de basarse en una información y comprensión adecuadas, sin coacciones internas o

---

[52] COMISIÓN NACIONAL PARA LA PROTECCIÓN DE LOS SERES HUMANOS EN ESTUDIOS BIOMÉDICOS Y DEL COMPORTAMIENTO DE LOS ESTADOS UNIDOS DE AMÉRICA: *Principios éticos y normas para el desarrollo de las investigaciones que involucran a seres humanos.* PDR reports. 18 de abril de 1979. Pág. 3. En http://www.comitedebioetica.cat/.

[53] BEAUCHAMP, Tom L. y CHILDRESS, James F: *Principios de ética médica.* Masson, pág. 114.

externas, porque de lo contrario, si alguna de estas condiciones no se cumple o se cumple sólo en parte, la autonomía de una persona se ve reducida[54].

En España, Gracia afirma que no todos los principios tienen el mismo rango. Para él no maleficencia y justicia obligan con independencia de la opinión de las personas implicadas y por ello tienen un rango superior que los de autonomía y beneficencia. Distingue por tanto un primer nivel constituido por la no maleficencia y la justicia (ética de mínimos) y un segundo, formado por la autonomía y la beneficencia (ética de máximos). Además, de estos principios se derivan para Gracia unos procedimientos prácticos. De la autonomía, el consentimiento informado; de la beneficencia, la evaluación de riesgos y beneficios, y de la justicia, la selección equitativa de los sujetos de experimentación[55].

Hoy en día el paradigma básico de la autonomía es el consentimiento informado. El paciente debe conocer todos los datos necesarios para poder elegir libremente entre varias opciones y sólo se le pueden practicar aquellos cuidados de los que sea plenamente consciente. En caso de que el paciente no pueda dar su consentimiento por distintas razones, ejercerán su derecho los que responden de él. Es pues el paciente, convertido en usuario del servicio sanitario, quien decide sobre el tratamiento que tiene que recibir, lo cual puede llevar en ciertos casos a generar descontento en el médico o incluso frustración en el enfermo[56].

El debate doctrinal tiene un importante eco jurisprudencial. El Tribunal Supremo considera que la falta de consentimiento informado comporta una vulneración de la *lex artis* y revela la manifestación de un funcionamiento anormal del servicio sanitario, hasta el punto de que puede constituir infracción desde la omisión completa del consentimiento informado a los meros descuidos parciales, como la ausencia de información adecuada al enfermo de todos los riesgos que entraña una intervención quirúrgica y de las consecuencias que de la misma podían derivar una vez iniciada una asistencia hospitalaria y las específicas secuelas que puede acarrear una operación[57].

En definitiva, el consentimiento informado no es el principio de autonomía pero sí su consecuencia. Por su aplicación ha cambiado la toma de decisiones en el ámbito de la salud, trasladándola del médico al paciente, del experto al

[54]   BEAUCHAMP, Tom L.: Methods and principles in biomedical ethics. *Journal Med Ethics*, 2003, págs. 269-274.

[55]   GRACIA, Diego: *Procedimientos de decisión en ética clínica*. Madrid, Eudema, págs. 10 y ss.

[56]   GRACIA, Diego: Como arqueros al blanco. *Estudios de Bioética*, pág. 83.

[57]   SANGÜESA CABEZUDO, María: Autonomía del paciente. Consentimiento informado. *Revista de Jurisprudencia Lefrebre. El Derecho*, n.º 1, 2012.

interesado, y dando así una nueva dimensión a la ética médica[58]. El facultativo está obligado a dar al paciente la información adecuada y a respetar su decisión, lo cual muchas veces puede llegar a ser frustrante, contrario a la ciencia y además incluso a los intereses de la propia administración sanitaria. Con estas premisas el debate está en dónde poner el límite. La jurisprudencia y parte de la doctrina se inclinan por afirmar que excepcionalmente cabe prescindir del consentimiento en caso de riesgo para la salud pública, a causa de razones sanitarias establecidas por Ley o también cuando, en caso de riesgo inmediato y grave para la integridad física o psíquica del enfermo, sea imposible conseguir su autorización, la de sus familiares o de las personas vinculadas de hecho a él[59].

Aun así no es fácil decidir cuándo hacerlo. Muy recientemente, por ejemplo, la infección y posterior muerte por difteria de un niño ha puesto de actualidad el debate sobre la conveniencia o no de las vacunas. Los padres que deciden no vacunar a sus pequeños lo hacen desde el conocimiento de los pros y contras de esta práctica y resuelven no hacerlo en el ejercicio de su autonomía. La cuestión es si su decisión puede o no afectar a la salud del resto de la población, porque no es menos cierto que el caso que nos ocupa ha puesto en peligro a los compañeros de colegio del menor y a todo su entorno ante un posible contagio de una enfermedad muy grave, que puede ser mortal —sólo en España entre 1900 y 1920 se cobró 120.000 vidas—, que en casos residuales puede afectar a personas vacunadas y que —no lo olvidemos— no se había registrado en España ningún caso desde el año 1986.

1.3. DERECHO MÉDICO

Si ética, bioética y deontología se sitúan más o menos en el mismo plano de regulación de la conducta de las personas, más o menos cercano a la moral según sea la disciplina a que nos refiramos, el derecho ocupa un escalón muy distinto al referirse a normas imperativas que enmarcan la convivencia, para que en su seno cada persona se desarrolle individual y libremente. Y es que el derecho en definitiva se encarga de encuadrar positivamente las relaciones entre las personas.

La vida humana es fundamentalmente una vida en sociedad. Las personas precisan contar con los demás para satisfacer sus propias necesidades. Y como

[58] LÓPEZ MARTÍN, Sixto: *Ética y Deontología Médica Ética de los problemas en atención primaria en la provincia de Toledo.* Repositorio USAL, pág. 84.
[59] SANGÜESA CABEZUDO, María: Autonomía del paciente. Consentimiento informado. *Revista de Jurisprudencia Lefrebre. El Derecho*, n.º 1, 2012.

esta necesidad es recíproca, la sociedad genera una tupida red de relaciones, que unas veces se organizan de forma autónoma y otras es necesario ordenarlas y hacerlas exigibles. Esa es la función del Derecho, ordenar determinadas relaciones sociales, de ahí que se diga que el Derecho es el conjunto de normas que rigen la sociedad, su razón conformadora.

Dice Renard que el Derecho es el orden social justo, la regla que trasciende la vida[60]. La única manera de que exista la vida humana es ordenando la vida social, y ello solo se puede hacer con el Derecho. Ahora bien, el orden impuesto ha de ser justo, es decir, ajustado a las características propias de la conducta humana.

Otros autores lo definen en cambio como el conjunto de reglas establecidas para regir las relaciones de los hombres en sociedad, en cuanto se trate de reglas cuya observancia puede ser coercitivamente impuesta a los individuos, incluyendo así un nuevo criterio, que es la fuerza para exigir su cumplimiento. Ihering concluye en que es la garantía de las condiciones de vida de la sociedad en la forma de coacción[61]. En suma, podemos definir el Derecho como conjunto de normas que regulan la conducta del ser humano en sus relaciones con la sociedad y de los Estados entre sí.

1.3.1. *Relación entre Ética y Derecho*

Decía Hobbes que el hombre es esencialmente antisocial pues está guiado por sus pasiones, entre las cuales reina el egoísmo. De él es la frase de «el hombre es un lobo para el hombre»[62] y por ello, según él, cedemos al Estado una gran parte de nuestra libertad para que garantice nuestra seguridad. Surge así el gran *Leviathán*, organización fuerte y potente que nos protege mediante la promulgación de las normas jurídicas, que juntas constituyen un corpus que todos estamos obligados a respetar. El pensamiento de Hobbes se contiene en tres libros fundamentales, *Elementos del Derecho*[63], *De Cive* y *Leviathan*[64], y supone el nacimiento del Estado moderno y su justificación de la existencia de las leyes —que llama cadenas artificiales—, que posteriormente completarían

---

[60] RENARD, Georges: *El Derecho, la Justicia y la Voluntad*. Desclée, pág. 52.

[61] LLAMBIAS, Jorge Joaquín: *Introducción al Derecho Civil*. Perrot, pág. 22.

[62] HOBBES, Thomas: *Tratado sobre el ciudadano*. Edición de Joaquín Rodríguez Feo. Universidad Nacional de Educación a Distancia, Madrid, pág. 45.

[63] HOBBES, Thomas: *Elementos del Derecho natural y político*. Alianza Editorial.

[64] HOBBES, Thomas: *Leviatán o la materia, forma y poder de una república eclesiástica y civil*. Servei de Publications Universitat Valencia.

Locke, Rousseau y Montesquieu, ahondando en el pacto social y la división de poderes.

Para Hobbes la distinción entre derecho y ética radica en su diferente finalidad, porque mientras la ética tiene pretensiones totalizadoras para regular toda la conducta del hombre, el derecho pretende implantar una serie de normas indispensables que permitan la convivencia entre los hombres y el desarrollo individual de cada uno. De este modo, ni la ética necesita codificarse, ni el derecho puede concebirse como una parcela de la moral. Las disposiciones éticas, como son justas, han de ser respetadas por todos y también por el derecho. Desde este planteamiento, la diferencia fundamental entre la ética y la deontología, por un lado, y el derecho, por otro, se encuentra en su origen, ya que la fuente del derecho es el poder legislativo del Estado, mientras que la deontología profesional emana del propio colectivo profesional, desde una labor de autorregulación. Por eso, el derecho es siempre coactivo, mientras que la deontología profesional puede o no imponer sanciones y, en el caso de aplicarse, son menos graves que las impuestas por el derecho[65].

La relación entre ética y derecho ha pasado por varias etapas. En el mundo antiguo y medieval el derecho se entendía subordinado al fin propio del hombre y por tanto subordinado a la ética, en una relación de dependencia absoluta. De Platón a san Agustín, de Aristóteles a santo Tomás, la mayor parte de los clásicos optaban por un derecho de referencia e inspiración única en la ética. Y si ya Grocio propugnaba una separación entre ambas disciplinas, fue Kant quién afirmó sin ambages su autonomía, en base a que las posiciones morales procedían de la herencia clásica y cristiana, mientras que las jurídicas procedían del encuentro social, del contrato.

En la moral kantiana, el concepto clave es la autonomía de los seres humanos, entendida como la voluntad que tienen las personas para legislarse a sí mismas. El derecho rige los actos exteriores, sin atender a los motivos, mientras que la moral se dirige directamente a nuestra libertad y exige que la intención del acto sea buena. El derecho aparece entonces como normalización de las libertades externas de los individuos[66]. Y es por esa libertad que el derecho se ordena por la razón, lo que se lleva a cabo por el surgimiento del Estado, que es quien hace las Leyes.

[65]   FORNAS GARCÍA, Ricardo: *Deontología Médica.* En http://www.ricardofornas.net/2011/09/deontologia-medica-i.html.

[66]   ULLOA CUÉLLAR, Ana: El estado en Kant. *Revista de los investigadores del Centro de Estudios sobre Derecho, Globalización y Seguridad de la Universidad Veracruzana*, vol. 11, 2005, pág. 207.

El derecho, por tanto, en Kant procede de un orden jurídico exterior a nosotros. El legislador y el obligado por la norma son distintas personas. La moral, en cambio, proviene del imperativo categórico de la conciencia de cada cual, o sea, de un mandato interior: así resulta que somos a la vez legisladores y obligados por la norma, por lo cual la moral es autónoma[67].

Mas si esta formulación ha estado vigente hasta el siglo XX, las modernas concepciones han evolucionado hacia un esquema de subordinación de la moral al derecho. A partir de la promulgación de las declaraciones universales de derechos, en el mundo postmoderno se ha producido una juridificación de los mínimos éticos, que no solo se exige en cada legislación sino que además funciona como un referente ético común[68]. Ello a pesar de que la superior posición del derecho está sometida en los últimos tiempos a una constante revisión, precisamente por el pluralismo a que está sometida la ética, que, aunque fuertemente positivizada en los códigos deontológicos, está en permanente fluctuación por la influencia de los avances científicos y los posicionamientos que ante ellos presentan las distintas corrientes éticas.

1.3.2. *Contenido del Derecho Médico*

Por otra parte, hoy día el derecho se encuentra estrechamente relacionado con la medicina, y no solo en aspectos organizativos o reguladores, puesto que alcanza a todas aquellas situaciones que inciden directamente en el ejercicio de la profesión, lo que evidentemente hace que podamos hablar de una especialidad jurídica nueva, el derecho médico o derecho sanitario, que regula desde la relación entre médico y paciente hasta la relación entre ambos actores y el Estado o las distintas administraciones públicas, conformando un auténtico cuerpo normativo específico que cada vez tiene más eco en la sociedad.

Como se sabe, el derecho tiene numerosas ramas para llegar a todas las actividades y relaciones humanas, aunque tradicionalmente se tiende a dividir en dos grandes grupos, el derecho público y el privado. El primero, según expone Albaladejo, es el conjunto de normas que regulan la organización y actividad del Estado y los demás entes públicos y sus relaciones entre sí, así como las que se establecen entre todos ellos y los ciudadanos. El derecho privado por su parte es, según el mismo autor, el conjunto de normas

---

[67]   OLASO JUNYEN, Luis María: *Curso de Introducción al Derecho. Introducción filosófica al Derecho.* Universidad católica Andrés Bello. Caracas, pág. 120.

[68]   SERRANO RUIZ-CALDERÓN, José Miguel: Bioética y Derecho. En *Manual de Bioética* (Coordinadora Gloria María Tomás Garrido). Ariel, pág. 63.

que regulan lo relativo a los particulares y a las relaciones de éstos entre sí o, aunque intervengan entes públicos, lo hagan con carácter de particulares. El derecho público enlaza por tanto con la idea de poder, mientras que el privado lo hace con la de cooperación[69].

Para Rodríguez Molinero el reconocimiento del derecho médico como un derecho especial radica en que ni la ética ni la deontología profesional pueden llegar donde llega la regulación jurídica en la protección de los bienes jurídicos y de los derechos inalienables que entran en juego en todo acto médico. Tanto la ética como la deontología exigen por naturaleza el complemento de un derecho médico[70].

El derecho médico o, mejor, el sanitario, puede a su vez agruparse en dos ramas, la que se ocupa de la relación entre médico y paciente, que puede considerarse privada, y la que se establece entre las instituciones y organismos sanitarios y el propio paciente, que es evidentemente pública. Así pues, el derecho sanitario tiene una vertiente pública y otra privada.

El derecho médico así considerado es el conjunto de disposiciones que regulan la actividad médica, bien pertenezcan a la legislación común en cuanto directa o indirectamente recaen sobre aquélla, o bien pertenezcan a una legislación específica de algunos sectores especiales. Además el derecho médico comprende el conjunto de sentencias judiciales y de resoluciones administrativas que versan sobre actos médicos, cuyo repertorio constituye una fuente inagotable de conceptos y de pautas jurídicas para posteriores fallos[71].

El objeto de este derecho especial no es pues otro que la regulación de los actos médicos ejecutados por profesionales sanitarios con finalidad curativa o terapéutica, o incluso para obtener una mejora de las condiciones físicas o psíquicas de la persona humana, con lo que abarca desde el diagnóstico, tratamiento médico y quirúrgico, tratamientos dietéticos y mejoras de rendimiento físico o psíquico, hasta la experimentación científica con humanos. No es un derecho que regule en exclusiva la actividad del médico, sino que se extiende a los actos de todos los profesionales de la salud, desde los auxiliares a los facultativos superespecialistas. Según Rodríguez Molinero el criterio es que el acto o actos regulados se realicen dentro de un equipo médico o bajo la

---

[69]   ALBALADEJO LÓPEZ, Pedro: *Derecho Civil I. Introducción y parte general.* Volumen primero. Introducción y derecho de la persona. José M.ª Boch Editor, pág. 35.

[70]   RODRÍGUEZ MOLINERO, Marcelino: Perfil general del Derecho Médico. *Anuario de Filosofía del Derecho,* XII. Ministerio de Justicia, BOE, Sociedad española de Filosofía Jurídica y Política, 1995, pág. 46.

[71]   *Opus cit.* Pág. 49.

dependencia de un médico o de una organización médica. No comprende por tanto, según él, la actividad de quienes ejercen las profesiones llamadas para-médicas: fisioterapeutas, podólogos, ópticos, psicólogos, esteticistas, naturis-tas, dietistas, etc.[72]. Esta tesis hay que tomarla hoy en día con mucha cautela, por cuanto que algunas de estas profesiones sí guardan relación con la salud y son ejercidas por profesionales con titulación habilitante.

Por otra parte, el derecho médico tiene una importante rama internacional. Muchos son los tratados internacionales y normas consuetudinarias de apli-cación a la salud. Entre ellos podemos citar la Declaración Universal de los Derechos Humanos de la Asamblea General de las Naciones Unidas en 1948, el Convenio Europeo sobre Derechos Humanos y Libertades fundamentales de 1950, la Carta Social Europea de 1961, el Convenio Internacional sobre los Derechos Civiles y Políticos de 1966, el Convenio Europeo sobre Derechos Económicos, Sociales y Culturales de 1966 o el Convenio relativo a los Dere-chos Humanos y la biomedicina, de 1997.

En España el derecho médico interno encuentra su primer fundamento en la Constitución, que recoge el derecho a la salud en su artículo 43 y que se desarrolla en la Ley General de Sanidad de 1986, que a su vez se complementa con multitud de disposiciones generales dictadas por el Estado, las Comuni-dades Autónomas y Ayuntamientos. En este sentido, y más concretamente, la regulación jurídica de la actividad médica se recoge en primer lugar en la legislación general y está dispersa en todo el Corpus legislativo: Código Civil, Código Penal, Leyes de Procedimiento, Ley de la Función Pública, legisla-ción laboral, etc., lo que significa que en gran medida es la misma regulación jurídico-positiva vigente para otros campos de actividad más o menos afines.

Otra parte de la regulación jurídico-positiva es especial y está contenida en las diversas leyes y reglamentos que directamente inciden en o tienen por ob-jeto la actividad médica, como la Ley General de Sanidad ya citada o distintas y concretas parcelas de la misma, como por ejemplo la Ley y Reglamento de extracción y trasplante de órganos o la reglamentación jurídica de la hemo-donación. Y además de los aspectos asistenciales, el derecho médico se ocupa de los aspectos organizativos de la salud, cuyo desarrollo está profusamente regulado por las legislaciones autonómicas.

Todo esto puede enmarcarse en lo que podríamos denominar derecho pú-blico médico, que, además de regular los aspectos asistenciales y organizati-vos, también se ocupa de la responsabilidad penal de los profesionales de la

---

[72] *Opus cit.* Pág. 48.

salud. En este sentido, ¿puede hablarse de un derecho penal médico? Pues en puridad entendemos que no, con independencia de que los profesionales de la salud puedan, en el ejercicio de su profesión, incurrir en responsabilidad penal. Desde delitos imprudentes por negligencia grave o leve —menos grave en la denominación actual—, lesiones, lesiones al feto, eutanasia o aborto, a los menos conocidos pero igualmente punibles como la violación del secreto profesional, omisión del deber de socorro sanitario, falsificación documental, suposición de parto y alteración de paternidad, pasando por los de intrusismo o suministro de sustancias nocivas para la salud, existe todo un abanico de delitos que pueden ser cometidos por los profesionales de la salud en el ejercicio de sus funciones.

No existe, pues, un derecho penal médico como cuerpo jurídico especial, aunque sí deba considerarse que las actividades sanitarias tienen un plus de reproche penal que no se da en otras profesiones.

En cuanto a la rama de esta especialidad que compete al derecho privado, decir en primer lugar que deriva de la naturaleza jurídica de la relación entre médico y paciente, cuyo estudio nunca ha estado exento de polémica. Ya en la antigua Roma se consideraba que a médico y enfermo les unía un contrato de mandato, tesis que hoy día no se sostiene por las propias características de la asistencia sanitaria.

En la actualidad se estima que esa naturaleza puede ser tanto contractual como extracontractual, según se trate de asistencia prestada en el ámbito de la medicina que denominamos privada, en la que el médico actúa como profesional liberal, o en el de la pública, en la que los facultativos están unidos a la institución que presta el servicio por una relación laboral o estatutaria y atienden a los pacientes sin que entre ellos medie contrato alguno. Incluso hay autores que hablan de cuasicontratos, en la forma de una gestión de negocios ajenos sin mandato, recogida y regulada en el artículo 1888 del Código Civil[73].

En cualquier caso, de la naturaleza de la relación que exista entre las partes deriva la responsabilidad civil en que pueda incurrirse, que será contractual o extracontractual según que la primera sea pública o privada. La diferencia radica, entre otras cosas, en el plazo de prescripción de las acciones, que en caso de la contractual es de cinco años mientras que en la extracontractual es de sólo uno.

Actualmente se considera que constituye la regla general la responsabilidad contractual de los médicos y que la extracontractual se da sólo excepcionalmente, pero, cuando el mismo hecho constituye incumplimiento de una

---

[73] *Opus cit.* Pág. 53.

obligación y al mismo tiempo acto ilícito, el perjudicado podrá elegir entre invocar el art. 1902 o las normas contractuales infringidas[74].

1.4. LA CONQUISTA DE LOS DERECHOS DE LOS PACIENTES

Los derechos de los pacientes, en la formulación que hoy conocemos, han sido fruto de una larga reivindicación. El antecedente más lejano proviene nada menos que del código de Hammurabi que, aunque fue descubierto en 1902 en Irán, data del año 1750 a. C. En él se prevén por primera vez castigos brutales, como la amputación de una mano al médico que cause una lesión grave a un enfermo por negligencia profesional[75].

Mucho más tarde, en el 400 a. C., el juramento hipocrático establece una obligación de respeto, dedicación y fidelidad al enfermo, buscando hacer el bien. El documento confiere al médico un carácter prácticamente sacerdotal que le coloca en un plano superior al del paciente, y que es sujeto de una alta responsabilidad ética, que se combina con una práctica absoluta impunidad.

Por lo que se refiere a la atención al paciente, era absolutamente clasista, tiránica en el caso de los esclavos, resolutiva en el de los hombres libres pobres, y exquisita en el de los ricos[76]. En todo caso, están documentados castigos a médicos negligentes como el que Plutarco refiere infligido por Glaucias, médico de Hephestion, que fue condenado a morir en la cruz por la indignación que a Alejandro le produjo la equivocación en la dosis de medicamento que el medico administró a su amigo y que le produjo la muerte[77].

El Derecho romano también se ocupó de la responsabilidad de los médicos y por ende de los derechos de los pacientes. En una de las primeras fases del Imperio la profesión médica era ejercida por esclavos y por ello el rigor con el que se trataban las negligencias era importante. Con el tiempo, la llegada de médicos extranjeros, sobre todo griegos, minoró el número de esclavos ejercientes, con lo que también se suavizó el sistema de exigencia de responsabilidades que

---

[74]   MARTÍNEZ-CALCERRADA, Luis: *La sanidad ante las nuevas tendencias jurisprudenciales. Aspectos civiles.* Libro de Actas IV Congreso Nacional de Derecho Sanitario. Fundación Mapfre Medicina.

[75]   SUÁREZ INCLÁN, Julián: *Deontología, Derecho y Medicina.* Colegio Oficial de Médicos de Madrid.

[76]   LAÍN ENTRALGO, Pedro: *La relación médico-enfermo: Historia y Teoría.* Madrid, Alianza, 1983, pág. 58.

[77]   BLÁZQUEZ, José M.ª: *Alejandro Magno homus religiosus.* Biblioteca Virtual Miguel de Cervantes. En www.cervantesvirtual.com.

se basaba en la *lex aquiliana*, que por primera vez recogía la *culpa gravis* en la que después se han inspirado muchas legislaciones de nuestro entorno.

En la Edad Media se produce un cambio en la filosofía de la atención sanitaria, precisamente por el desarrollo del Cristianismo, que hace que se conciba la asistencia a los enfermos como parte de la atención espiritual. En la Alta Edad Media, el sacerdote-médico aplica la idea cristiana de la atención al enfermo movido por el amor al hombre y el espíritu cristianos, siendo así el tratamiento médico un acto de benevolencia[78]. Ello no quiere decir que el médico negligente sólo tenga que esperar el castigo divino.

En todo caso, la llegada de la Baja Edad Media con la aparición de las universidades, provoca una secularización de la atención médica, que se hace menos milagrera y más científica. Famosa es una sentencia de finales del siglo XIII, en la que 106 burgueses de Jerusalén condenan a un médico por haber cortado transversalmente la pierna de un enfermo, causándole la muerte.

La Edad Moderna profundiza en esa secularización que se sustenta precisamente en la profesionalización del médico, lo que lógicamente incide directamente en los derechos de los pacientes que cada vez van siendo más tenidos en cuenta. Así, la jurisprudencia francesa del siglo XVI castigaba las faltas intencionales de los médicos, aun cuando fueran leves y las graves aun cuando no hubiese habido dolo.

Igualmente de esta era, aunque más tardía, es la aparición de las primeras instituciones profesionales médicas, como el *Royal College of Physicians* de Inglaterra, antecedente de las actuales organizaciones médicas colegiales, en cuyo seno aparecerán los modernos códigos deontológicos, en los que se plasman una serie de obligaciones éticas de los profesionales que igual y paralelamente se describen como derechos de los pacientes. El primero de ellos surge de la pluma de Thomas Percival, en el año 1803. Entre los principios éticos fundamentales que proclama se encuentran los que deben regir las relaciones médico-paciente. Años más tarde, en 1847, se publica el primer gran código de ética médica, el *National System of Medical Morales*, que tiene como principio esencial la ocultación por parte del médico al paciente de toda información que a su juicio le pudiera resultar negativa o perjudicial, y a la vez asigna a la asociación profesional la obligación de vigilar el cumplimiento del código y castigar las infracciones[79].

---

[78] GÓMEZ-ULLATE RASINES, Susana: Historia de los derechos de los pacientes. *Revista Derecho UNED*, n.º 15, 2014, pág. 266.

[79] *Opus cit.* Pág. 268.

Por el contrario, en los siglos XIX y XX se va a producir la auténtica rebelión del paciente. A ello ayudaron en el XVIII las revoluciones liberales democráticas del mundo moderno, esto es, la Declaración de Derechos del Buen Pueblo de Virginia del año 1776, primero, y la Declaración Francesa de Derechos del Hombre y del Ciudadano de 1789, después. El espíritu liberal que surgió de aquellos movimientos se extendió a todas las relaciones sociales, alcanzando a la medicina. Surgieron así los derechos de los enfermos para integrarse en el catálogo general de los derechos fundamentales de la persona[80].

Los derechos de los pacientes se han ido conformando progresivamente, pudiendo agruparse según Gracia y Lázaro en dos grupos, el social y el clínico. En el primero destaca el derecho a la igualdad de trato, que implica la no discriminación por cualquier causa, sobre todo por motivos económicos, con lo que la atención sanitaria deja de ser un acto de beneficencia para ser un derecho. Y en el plano clínico o asistencial, el ejemplo más paradigmático es el consentimiento informado, aunque hay otros logros, como el de la asistencia sanitaria a enfermos psiquiátricos, que tienen que ser destacados[81].

La Segunda Guerra Mundial y los horrores cometidos por los médicos nazis, que se tratarán posteriormente, pusieron de manifiesto la necesidad de contar con un código ético sólido. Y fue el propio Tribunal que enjuició a los médicos asesinos quien en 1946 aprobó el llamado Código de Núremberg, que recoge un decálogo de principios que deben ser respetados por todos los científicos cuando realicen experimentos e investigación que afecten a la dignidad humana.

En 1946 durante la Conferencia Sanitaria Internacional, se aprobó la Constitución de la Organización Mundial de la Salud, en la que se proclama la universalidad del derecho a la salud. En el Preámbulo del texto aprobado se dice que la salud no es sólo la ausencia de afecciones o enfermedades, sino también un derecho fundamental de todo ser humano sin distinción de raza, religión, ideología política o condición económica o social. Y si a nivel personal es un estado de completo bienestar físico, mental y social, socialmente es además una condición fundamental para lograr la paz y la seguridad, y depende de la más amplia cooperación de las personas y de los Estados[82].

[80]   *Opus cit.* Pág. 270.

[81]   LÁZARO, José y GRACIA, Diego: *La relación médico-enfermo a través de la historia.* Anales del Sistema Sanitario de Navarra, vol. 29, 2008, págs. 2 y ss.

[82]   La Constitución de la Organización Mundial de la Salud fue firmada el 22 de julio de 1946 por los representantes de 61 Estados y entró en vigor el 7 de abril de 1948. Ha sido reformada por resoluciones adoptadas en la 26.ª, la 29.ª, la 39.ª y la 51.ª Asambleas Mundiales de la Salud en 1977, 1984, 1994 y 2005, respectivamente.

Posteriormente, en 1948, la Declaración Universal de Derechos Humanos proclamó la salud como parte del derecho a un nivel de vida justo y reconoció el derecho de las personas a la seguridad social y a la salud. En 1966, el Pacto Internacional de Derechos Económicos, Sociales y Culturales describió el derecho a la salud como el derecho de toda persona a un nivel de vida adecuado y a una mejora continua de las condiciones de existencia, exigiendo a los Estados Partes la adopción de medidas apropiadas para asegurar la efectividad de este derecho.

Y así hasta 1973, en que la Asamblea Americana de Representantes de la Asociación Americana de Hospitales aprobó la primera Carta de Derechos del Paciente, que supuso entre otras cosas el reconocimiento oficial del derecho del enfermo a recibir completa información sobre su situación clínica y a decidir entre las opciones posibles, como adulto autónomo y libre que es. La Carta es una manifestación de la libertad del individuo en el ámbito biomédico mediante la fórmula del consentimiento informado[83].

La Carta americana, con puntuales modificaciones, ha sido adoptada en un importante número de países. Por su parte, la Unión Europea firmó en el año 2002 en Roma la Carta Europea de los Derechos de los Pacientes, que se basa en los derechos fundamentales de la persona reconocidos por la Unión Europea. En su Preámbulo se proclama que estos derechos deben ser respetados por los distintos países y sistemas nacionales de salud, independientemente de las limitaciones financieras, económicas o de los grupos políticos que los gobiernan.

Los derechos que enuncia son los siguientes:

1. Derecho a medidas preventivas.
2. Derecho del individuo al acceso a los servicios sanitarios que requiera sin ningún tipo de limitación debida a los recursos financieros, lugar de residencia, tipo de enfermedad o tiempo de acceso a los servicios.
3. Derecho a la información sobre su estado de salud, sobre los servicios sanitarios y cómo utilizarlos, así como a todo lo que la investigación científica y la innovación tecnológica puedan procurar.
4. Derecho al consentimiento informado.
5. Derecho a la libre elección de procedimientos, de tratamientos y proveedores, basándose en una información adecuada.
6. Derecho a la privacidad y confidencialidad sobre estado de salud, diagnóstico potencial o procedimientos terapéuticos, así como a la protección de su privacidad.

---

[83] GÓMEZ-ULLATE RASINES, Susana: Historia de los derechos de los pacientes. *Revista Derecho UNED*, n.º 15, 2014, pág. 271.

7. Derecho a recibir el tratamiento necesario en un período de tiempo predeterminado y rápido.
8. Derecho al cumplimiento de los estándares de calidad.
9. Derecho a la seguridad y a estar libre del daño causado por el pobre funcionamiento de los servicios de salud, los errores médicos y la negligencia profesional, y el derecho de acceso a los servicios de salud y tratamientos que cumplan con estándares de alta seguridad.
10. Derecho al acceso a procedimientos innovadores, incluyendo procedimientos de diagnóstico.
11. Derecho a evitar dolor y sufrimiento innecesarios.
12. Derecho a un tratamiento personalizado.
13. Derecho a reclamar si ha sufrido un daño y el derecho a recibir una respuesta o información adicional.
14. Derecho a la compensación cuando haya sufrido un daño físico, moral o psicológico causado por un tratamiento proporcionado en un servicio de salud.

La Unión también tiene una norma específica para los niños hospitalizados, que es la Resolución A2-25/86, de 13 de mayo de 1986 del Parlamento Europeo sobre la Carta Europea de los Niños Hospitalizados. E igualmente ha establecido el 8 de abril como la celebración del Día Europeo de los Derechos de los Pacientes.

La normativa se completa con multitud de Directivas y otras resoluciones. A modo de ejemplo citaremos la Directiva 2011/24/UE del Parlamento Europeo, relativa a la aplicación de los derechos de los pacientes en la asistencia sanitaria transfronteriza.

En España, algunos de estos derechos están regulados por la Ley 41/2002, de autonomía del paciente. De ellos destacamos tres derechos fundamentales: el derecho a la información sanitaria, el derecho a la intimidad y confidencialidad de sus datos de salud y derecho al respeto de la autonomía del paciente, expresado en el consentimiento informado.

En suma, los derechos de los pacientes tienen una amplia trayectoria y en la actualidad conforman un cuerpo normativo de ámbito internacional, comunitario, estatal, autonómico y local, en el que el enfermo se ha transformado básicamente en usuario de servicio público y consumidor de unos servicios médicos en los que se encuentra con el médico en un plano de igualdad, con lo que el papel tradicional superior del facultativo ha quedado ampliamente superado.

1.5. LOS DERECHOS DE LOS PROFESIONALES DE LA SALUD

Si en el caso de los pacientes se ha producido a través del tiempo una paulatina conquista de sus derechos, no sucede lo mismo en el caso de los médicos. Como ya se ha dicho, en las culturas primitivas y arcaicas la figura del médico se confundía con la del chamán o sacerdote, hasta el punto de que, según Bullough, en una sociedad sin especializar el chamán era el único especialista. De este modo el médico-sacerdote antiguo era un privilegiado que en puridad tenía todos los derechos. No podía decirse lo mismo del otro tipo de médico de la época, el médico-artesano, que era un simple práctico sin apenas posición social, carente de poder y autoridad, que reducía fracturas y trataba con hierbas. Su posición social no era mayor que la de un carpintero o un herrero.

Estos dos tipos de profesionales de la salud mantendrán sus diferencias sociológicas, científicas y asistenciales, con sus lógicas evoluciones, hasta prácticamente el siglo XVIII. El primero, médico con alto nivel intelectual, se corresponde con las formas arquetípicas de la profesión, mientras que el segundo, practicante sin formación que realiza las actividades clínicas manuales —incluida la cirugía—, con la de un oficio[84].

En la Grecia clásica apareció un nuevo tipo, el médico-filósofo, que, con una formación primaria práctica, crece intelectualmente a través de la lógica de la salud y la enfermedad. Es el heredero del antiguo médico-sacerdote con el que comparte una sólida posición social y un estatus jurídico especial, con lo que sigue disfrutando de unos derechos muy superiores al resto de los ciudadanos.

La regresión de saberes que se produjo en la Edad Media alcanzó lógicamente a la medicina, que como el resto del conocimiento se retiró a los monasterios. Allí, los monjes que se dedicaban a cuidar enfermos no gozaban de estatuto especial y ejercían esa labor asistencial sin buscar más retribución o reconocimiento que el amor de Dios y el premio futuro del reino celestial.

Durante la Baja Edad Media, con la aparición de las universidades, comienza un proceso de secularización de la medicina cuyo culmen llega en la Edad Moderna con la creación de las nuevas instituciones profesionales y el fomento de las cuestiones éticas, que más bien buscan la implantación de un catálogo de obligaciones a los profesionales de la medicina, pero no el reconocimiento formal de unos derechos.

---

[84] LÁZARO, José y GRACIA, Diego: La relación médico-enfermo a través de la historia. *Anales del Sistema Sanitario de Navarra*, vol. 29, suplemento 3, 2006, pág. 10.

La mentalidad del papel sacerdotal del médico imbuye los códigos y da por sentado que los facultativos mantienen un estatus muy superior al resto de los ciudadanos, aunque esta condición conlleve una progresiva exigencia de obligaciones.

La evolución es continua en esa línea y los médicos se integran plenamente en la burguesía del siglo XIX, ejerciendo una profesión autorregulada, socialmente muy reconocida y económicamente bien retribuida a través del cobro de unos honorarios que fijan libremente. Por lo general, no son ni asalariados ni funcionarios, sino profesionales liberales con una serie no ya de derechos, sino de privilegios que son respetados por todos[85]. De este modo, hablar de derechos de los médicos se antoja absolutamente innecesario en aquella época, por cuanto que mientras que los asalariados y artesanos precisan de ellos para alcanzar una posición de respeto en la sociedad, los médicos y resto de profesionales por lo general no lo necesitan.

La aparición en el siglo XX de los primeros sistemas de previsión social conlleva una profunda transformación del ejercicio de la profesión médica, que paulatinamente deja de ser prioritariamente liberal para convertirse en una modalidad de servicio a la administración pública. Es precisamente en la Alemania de Bismarck donde apareció el primer sistema moderno de seguridad social, concebido como un seguro obligatorio, unificado y centralizado, que se exporta al resto de los países de nuestro entorno. Entre ellos destaca el modelo inglés implantado a mediados de siglo, que ha sido considerado ejemplar durante mucho tiempo por la amplitud y la universalidad de sus prestaciones[86].

El médico pasa a ser un asalariado distinguido, integrándose como trabajador por cuenta ajena en los sistemas públicos de salud o en grandes empresas privadas como compañías aseguradoras o propietarias de hospitales, de forma que el ejercicio libre de la profesión en exclusiva es prácticamente excepcional.

Esta nueva fórmula de práctica profesional sí que ha traído completos catálogos de derechos. Los médicos y por extensión el resto de profesionales de salud, como trabajadores que son, tienen una serie de derechos laborales que se plasman en muy diversas regulaciones. Cuando trabajan para empresas privadas sus derechos son idénticos a los del resto de trabajadores y se recogen en el Estatuto de los Trabajadores y toda la legislación complementaria, pero cuando su empleador es una administración pública, los profesionales de la salud son considerados personal estatutario sujeto de una relación funcionarial de

---

[85] *Opus cit.* Pág. 12.
[86] *Opus cit.* Pág. 13.

carácter especial que se regula por una normativa propia, que en palabras de la Exposición de Motivos de la Ley 55/2003, de 16 de diciembre, del Estatuto Marco del Personal Estatutario de los Servicios de Salud, «deriva de la necesidad de que su régimen jurídico se adapte a las específicas características del ejercicio de las profesiones sanitarias y del servicio sanitario-asistencial, así como a las peculiaridades organizativas del Sistema Nacional de Salud»[87].

Pues bien, la citada ley clasifica el personal sanitario de los servicios de salud en dos tipos, el sanitario y el de gestión y servicios, distinguiendo en ambos casos a los adscritos a cada grupo por sus titulaciones de acceso, con lo que en la práctica divide al personal sanitario en titulados universitarios (donde se ubican los médicos junto a otros facultativos y enfermeros) y titulados en formación profesional (técnicos de rayos, de laboratorio, auxiliares, etc.), diferenciando a su vez este grupo del personal no dedicado específicamente a labores propiamente sanitarias, esto es, lo que siempre se ha conocido como personal no sanitario.

En cuanto a los derechos de unos y otros, la ley no hace diferencias, reconociendo los mismos derechos individuales y colectivos a todo el personal estatutario en los artículos 17 y 18.

Individualmente, los profesionales de la salud tienen derecho:

a) A la estabilidad en el empleo y al ejercicio o desempeño efectivo de la profesión o funciones que correspondan a su nombramiento.

---

[87] El actual Estatuto Marco recogido en la Ley 55/2003 de 16 de diciembre es consecuencia de la Ley General de Sanidad y refunde en uno solo los tres estatutos anteriores, referidos a personal médico, personal sanitario no facultativo y personal no sanitario, los tres preconstitucionales. Hasta entonces la regulación jurídica de todos estos profesionales se encontraba muy dispersa. La nueva ley vino a poner orden en las relaciones de este personal con la Administración, además de incluir a los tres colectivos en la misma estructura jurídica. La Ley es consecuencia del Acuerdo Parlamentario para la Consolidación y Modernización del Sistema Nacional de Salud, aprobado por el Pleno del Congreso de los Diputados el día 18 de diciembre 1997, en cuyo apartado 10 se considera imprescindible el establecimiento de un nuevo modelo de relaciones laborales para el personal estatutario de los Servicios de Salud, a través de un Estatuto Marco que debe desempeñar un papel nuclear como elemento impulsor de la dinámica de evolución, desarrollo y consolidación de nuestro Sistema Sanitario Público. El Acuerdo incluso considera necesario el establecimiento, por ley básica, de un nuevo modelo, para el personal estatutario de los servicios de salud, que tenga como principales objetivos regular las peculiaridades del personal estatutario de las instituciones sanitarias públicas mediante un estatuto profesional propio, de carácter básico para todo el sistema, sin perjuicio de su desarrollo por las Comunidades Autónomas, así como fomentar la descentralización de los procesos de selección y promoción profesional y flexibilizar el régimen de dedicación, mediante una mayor personalización de las condiciones de trabajo.

b) A la percepción puntual de las retribuciones e indemnizaciones por razón del servicio en cada caso establecidas.

c) A la formación continuada adecuada a la función desempeñada y al reconocimiento de su cualificación profesional en relación a dichas funciones.

d) A recibir protección eficaz en materia de seguridad y salud en el trabajo, así como sobre riesgos generales en el centro sanitario o derivados del trabajo habitual, y a la información y formación específica en esta materia conforme a lo dispuesto en la Ley 31/1995, de 8 de noviembre, de prevención de riesgos laborales.

e) A la movilidad voluntaria, promoción interna y desarrollo profesional, en la forma en que prevean las disposiciones en cada caso aplicables.

f) A que sea respetada su dignidad e intimidad personal en el trabajo y a ser tratado con corrección, consideración y respeto por sus jefes y superiores, sus compañeros y sus subordinados.

g) Al descanso necesario, mediante la limitación de la jornada, las vacaciones periódicas retribuidas y permisos en los términos que se establezcan.

h) A recibir asistencia y protección de las Administraciones Públicas y servicios de salud en el ejercicio de su profesión o en el desempeño de sus funciones.

i) Al encuadramiento en el régimen general de la Seguridad Social, con los derechos y obligaciones que de ello se derivan.

j) A ser informado de las funciones, tareas, cometidos, programación funcional y objetivos asignados a su unidad, centro o institución, y de los sistemas establecidos para la evaluación del cumplimiento de los mismos.

k) A la no discriminación por razón de nacimiento, raza, sexo, religión, opinión, orientación sexual o cualquier otra condición o circunstancia personal o social.

l) A la jubilación en los términos y condiciones establecidas en las normas en cada caso aplicables.

m) A la acción social en los términos y ámbitos subjetivos que se determinen en las normas, acuerdos o convenios aplicables.

A su vez, colectivamente, el artículo 18 de la Ley reconoce a todo el personal estatutario de los servicios de salud los siguientes derechos:

a) A la libre sindicación.

b) A la actividad sindical.

c) A la huelga, garantizándose en todo caso el mantenimiento de los servicios que resulten esenciales para la atención sanitaria a la población.

d) A la negociación colectiva, la representación y la participación en la regulación de las condiciones de trabajo.
e) A la reunión.
f) A disponer de servicios de prevención y de órganos representativos en materia de seguridad laboral.

Como puede apreciarse son derechos típicamente laborales muy parecidos a los que se recogen en el Estatuto Básico del Empleado Público, cuyo catálogo de derechos, según su artículo 2.3, también es de aplicación al personal sanitario, con una pequeña excepción sobre el derecho a la carrera profesional y la promoción interna.

Ahora bien, ¿esta funcionarización o laboralización del médico transforma su posición social? Pues entendemos que no. Para Lázaro y Gracia el papel sacerdotal del médico no ha desaparecido sino que se ha transformado y, en cierto sentido, incluso se ha potenciado. Mientras que los sacerdotes de las religiones tradicionales han ido perdiendo influencia en unas sociedades cada vez más laicas y pluralistas, el médico ha ido asumiendo funciones que le confieren un nuevo tipo de papel sacerdotal, sociológicamente hablando. El médico es el nuevo sacerdote de la sociedad del bienestar[88]. La nueva forma de entender la vida, en la que el culto a la salud se está haciendo referente principal, hace que los facultativos tengan una influencia fundamental en el devenir diario de las personas. Y es que si antes el médico era quien curaba y hacía el sufrimiento más llevadero, ahora es también árbitro y rector de las costumbres saludables y actividades físicas, de la estética y la imagen, hasta el punto de que los autores citados consideran que la sociedad está sustituyendo el papel del sacerdote por el del asesor sanitario, a lo cual evidentemente no afecta la relación que éste pueda tener con la administración para la que trabaja, porque los derechos laborales del profesional van por un lado y la relación médico-paciente por otro. Y aunque evidentemente muchas veces la condición de trabajador público influye en esa relación, lo cierto es que en general la posición social no se ve afectada.

De todos modos sí podríamos hablar de un catálogo general de derechos de los médicos, independiente de relación laboral. De hecho en algunos países se han recogido en normas y códigos éticos, precisamente como complemento del catálogo de deberes o incluso por contraposición a los derechos de los

---

[88] LÁZARO, José y GRACIA, Diego: La relación médico-enfermo a través de la historia. *Anales del Sistema Sanitario de Navarra*, vol. 29, suplemento 3, 2006, pág. 14.

pacientes. Por su parte, la AMM[89] también se ha referido a los derechos de los médicos en distintas declaraciones, pero de forma muy dispersa y siempre relacionada con los derechos de los pacientes. Es decir, parece que a las organizaciones médicas lo que les interesa es dejar claro que se preocupan de la atención al enfermo y por eso catalogan los deberes que los facultativos tienen con ellos, pasando de puntillas por los correlativos derechos de los médicos. Y nada más lejos de la realidad. Los médicos necesitan que sus derechos consten en normas adecuadas, porque sólo así sentirán que sus deberes tienen una contraprestación ética.

Sin duda, el país que más claramente ha expuesto los derechos de los médicos es México, que ha elaborado una Carta de los Derechos Generales de los Médicos y las Médicas[90], sintetizando en un decálogo lo que en otros países, como España, se encuentra disperso en varias normas o bien puede considerarse derecho consuetudinario. La carta en cuestión no es una norma jurídica en sentido estricto, aunque haya sido elaborada por una serie de asociaciones, instituciones y organismos sanitarios coordinados por la Comisión Nacional de Arbitraje Médico, organismo gubernamental dependiente de la Secretaría de Salud. En todo caso, compendia y recoge los derechos de los médicos en el ejercicio de su profesión, que pueden ser de aplicación a los médicos en nuestro país, porque la mayor parte de ellos han sido enunciados con anterioridad por la Asociación Médica Mundial en distintas declaraciones[91]:

La Carta recoge los siguientes derechos:
- A ejercer la profesión en forma libre y sin presiones de cualquier naturaleza, lo que conlleva el derecho a que se respete su juicio clínico y su libertad de prescripción.
- A trabajar en instalaciones apropiadas y seguras que garanticen su práctica profesional.
- A disponer de los recursos materiales, técnicos y humanos que requiere su práctica profesional.

[89] La Asociación Médica Mundial es una confederación internacional e independiente de asociaciones profesionales de médicos. Fundada el 18 de septiembre de 1947 por 27 asociaciones médicas entre las que se encontraba el Colegio Oficial de Médicos de España (el actual Consejo General de Colegios Médicos de España), en la actualidad agrupa a más de 100 asociaciones médicas nacionales y 10 millones de médicos.

[90] En http://salud.edomexico.gob.mx/ccamem/cartamedico.htm.

[91] Declaración de Helsinki de 1964, enmendada por las declaraciones de Tokio de 1975, Venecia de 1983, Hong Kong de 1989, Somerset West de 1996, Seúl de 2008 y Fortaleza de 2013.

- A abstenerse de garantizar resultados en la atención médica.
- A recibir trato respetuoso por parte de los pacientes y sus familiares, así como del personal relacionado con su trabajo profesional.
- A tener igualdad de oportunidades para su desarrollo profesional, lo que implica la no discriminación por razón de sexo, raza, origen o cualquier otra condición.
- A realizar actividades de investigación y docencia en el campo de su profesión y especialidad.
- A asociarse para proveer sus intereses profesionales.
- A salvaguardar su prestigio profesional.
- A percibir una remuneración por los servicios prestados adecuada a su capacitación profesional.

Por su parte, el Código Internacional de Ética Médica de la AMM permite identificar otro grupo de derechos que completan y complementan los anteriores, y que son:

- A la autonomía técnica y moral, sólo limitada por el consentimiento informado.
- A aceptar o rechazar a un paciente o una terapia, supeditada a que exista otro colega que pueda hacerse cargo del enfermo.
- A actuar en conciencia y libre de presiones, incluso en casos como aborto, eutanasia o participación en pena capital.
- Al mantenimiento del secreto profesional.
- A realizar investigación médica, con los límites de la previa autorización del paciente y la condición de no dañar y suspenderla siempre que el sujeto lo pida.
- Al perfeccionamiento científico y técnico y a la formación continua.
- A participar en la gestión de la salud.
- A la defensa y protección de su Colegio, así como al respeto, lealtad y consideración de sus compañeros[92].

Con todo, la relación medico-paciente no deriva ni está presidida por los catálogos de derechos de pacientes y profesionales que hemos analizado. En la práctica son muchos más los factores que intervienen en la relación clínica

---

[92] *Adoptado por la 3.ª Asamblea General en Londres 1949 y enmendado Asambleas celebrabas en Sydney en 1968, Venecia en 1983 y Pilanesberg en 2006.* En http://www.wma.net/es/30publications/10policies/c8/index.html.

y que según Lázaro y Gracia son, entre otros, el nivel cultural, la actitud y el carácter del enfermo; la personalidad más rígida o más dialogante del médico; la intervención cada vez mayor de otros profesionales sanitarios; las condiciones impuestas por «terceras partes»: familia, juez, administración o incluso compañías de seguros, y la disponibilidad de recursos y de tiempo.

Con esas premisas, el médico realiza su labor terapéutica entre la intención de ayudar el enfermo y la convicción de respetarlo como sujeto de derechos que es, pero procurando que ese respeto no lesione los suyos. El equilibrio entre los derechos del prestador de servicios y el destinatario de los mismos no es ni más fácil ni más difícil que en otras relaciones sociales, con lo que, como afirman los autores citados, a veces el médico añora aquellos tiempos en que al enfermo se le podía guiar como a un niño, ya que hay casos en los que no es fácil para el enfermo asumir su nuevo poder, y otros en los que lo difícil para el médico es asumir su reciente pérdida de poder. Porque, en síntesis, a veces no es fácil, ni es cómodo, ser adulto[93].

---

[93] LÁZARO, José y GRACIA, Diego: La relación médico-enfermo a través de la historia. *Anales del Sistema Sanitario de Navarra*, vol. 29, suplemento 3, 2006, pág. 16.

2. ÉTICA DE LOS CONFLICTOS ARMADOS

Considerando en términos generales las guerras como actos de violencia de una comunidad contra otra, puede decirse que éstas han tenido lugar desde que existe la Humanidad. Tan importante es su presencia en la historia que la mayor parte de los pensadores se han acercado a ellas, viéndolas unos como algo consustancial a la naturaleza humana y otros, en cambio, como un elemento cultural común a todas las civilizaciones.

Sea como fuere, lo cierto es que la guerra se desenvuelve en medio del horror. Destrucción, muerte, penuria y desolación son los primeros efectos que se derivan de unos conflictos que, las más de las veces, se presentan como inevitables por los líderes de las comunidades y que en esencia se perciben como lo contrario a la Civilización, como el fracaso de la racionalidad; de ahí que desde siempre se haya intentado articular sistemas u organizaciones capaces de impedir la guerra o limitar sus efectos destructivos.

Ahora bien, del mismo modo que se ha asumido que la guerra es prácticamente la negación del Derecho y de la convivencia de los hombres, a lo largo de la historia muchos han intentado justificar el uso de la fuerza. El mismo Montesquieu llegó a decir que la guerra es el esfuerzo de todos hacia la paz[94], auspiciando así la idea de que si la causa es justa el uso de la violencia también debe serlo.

Posteriormente Le Bon fue más allá, afirmando que las civilizaciones se forjan con ideas, pero todavía se defienden con cañones, justificando con ello el uso de la violencia en el avance social. Pero ¿en verdad hay guerras justas? La

---

[94] MONTESQUIEU, Barón de (Secondat, Charles Luis): *Del espíritu de las Leyes.* Libro I.

pregunta no es nueva ni aparece con el padre de la división de poderes. Desde los primeros siglos de nuestra era se ha intentado darle respuesta.

Si bien Platón y Aristóteles ya trataron el tema, la teoría de la guerra justa surge con san Agustín, que califica de justas las guerras que se hacen para vengar las injusticias y aporta una muy interesante relación de actos ilícitos en una guerra, de lo que no se puede consentir ni aunque el conflicto sea lícito, y que son el deseo de dañar, la crueldad en la venganza, el ánimo no aplacado e implacable, la ferocidad de la rebelión, la pasión de dominio y cosas semejantes[95]. Por tanto, es san Agustín el que primero habla de la crueldad innecesaria o excesiva en la guerra.

Mucho después, santo Tomás de Aquino profundiza en esta línea de reflexión, determinando que para que la guerra sea justa deben concurrir tres condiciones: la primera, que la guerra se libre bajo la autoridad del príncipe; a él le compete defender su reino tanto de los enemigos externos como de los perturbadores internos y por tanto es él quien debe declarar la guerra. La segunda, que exista justa causa, esto es, que los atacados lo merezcan. Y la tercera, que la intención sea promover el bien o evitar el mal.

Respecto a la forma de hacer la guerra, santo Tomás es claro: se debe luchar con lealtad al enemigo, lo que lógicamente implica que como el enemigo es prójimo no deben utilizarse con él engaños o estratagemas[96]. Actualizando esta doctrina, puede decirse que santo Tomás prohíbe el maltrato al enemigo y, sobre todo, al enemigo herido, así como la utilización de armas y medios prohibidos.

De esta forma vemos que, sin citarlo, los dos doctores de la Iglesia distinguían en la guerra justa dos parcelas bien diferenciadas: de una parte la justificación del uso de la fuerza (*ius ad bellum* o derecho a la guerra) y de otra la justificación de la forma en que se usa de la fuerza (*ius in bello* o derecho en la guerra). Ambas tendrán una completa formulación en Francisco de Vitoria.

El dominico Francisco de Vitoria, padre del derecho internacional, fue catedrático de Teología en la Universidad de Salamanca a principios del siglo XVI. Formado en París, introdujo en la Alma Máter la *Summa Teológica* tomista como texto básico de Teología, que además inspiró su gran libro *Relectiones Theologicae*, parte de las cuales las dedicó a reflexionar sobre si las guerras son lícitas o ilícitas y sobre el justo título de conquista, llegando entre otras cosas

---

[95] SAN AGUSTÍN: *Obras Completas.* Tomo XXXI. *Escritos antimaniqueos* (2.º). *Réplica a Fausto, el maniqueo.* Libro XXII. Biblioteca de Autores Cristianos, págs. 430 y ss.

[96] AQUINO, Tomás de: *Suma Teológica.* Biblioteca de Autores Cristianos, vol. III, Parte II-II a, págs. 337-341.

a la conclusión de que no hay guerra lícita cuando el territorio tiene ya un soberano y que la única guerra justa es la que se hace contra el invasor que te ataca, inaugurando con ello la negativa moderna a la guerra de agresión y, consecuentemente, la exclusiva licitud de la guerra defensiva que hoy proclaman muchas constituciones del mundo, entre ellas la española[97].

También en sus escritos acuñó el concepto de lo que hoy conocemos como comunidad internacional, que él lo llamaba *totus urbis* evocando la idea de universalidad, y a la que sometía al Derecho de Gentes. Precisamente de aquí arranca el principio de universalidad tan arraigado en el moderno Derecho Humanitario.

En lo relativo a la forma de hacer la guerra, Francisco de Vitoria siguió a san Agustín y en mayor medida a santo Tomás, matizando y perfeccionando su pensamiento. Así, postuló sin ambages la ilicitud de matar deliberadamente a inocentes en una guerra, como tampoco permitía su injuria o castigo por los delitos «de los malos». Es más, aunque permitía el expolio en algunos casos, ponía como límite la innecesariedad, es decir, para Francisco de Vitoria no sería lícita la incautación de los bienes de los inocentes si la guerra pudiera conducirse sin ello con la requerida eficacia[98].

En definitiva, Francisco de Vitoria actualiza la doctrina sobre la guerra justa de los dos Doctores de la Iglesia y perfila con mayor claridad el *ius in bellum* o Derechos en la Guerra, suponiendo sus tesis un gran avance en el reconocimiento de los derechos de los combatientes y no combatientes del bando enemigo. Por ello puede considerársele un personaje avanzado a su época y uno de los primeros intelectuales en aproximarse de verdad al sufrimiento de las guerras, en las que intentó incardinar un componente moral desconocido hasta entonces, ya que escritores y pensadores se acercaban a ellas con un tono casi exclusivamente épico.

Tras él muchos pensadores se han ocupado del tema, habiéndose acuñado una auténtica ética de los conflictos armados. Las nuevas corrientes de rechazo absoluto a las guerras tienen su origen en la inflexión que supuso la difusión de la doctrina de Vitoria. Y aunque ciertamente el factor más decisivo puede haber sido el temor a la violencia sin límite, por la nueva dimensión de destrucción que la guerra ha alcanzado en nuestros días, no cabe duda de que la percepción actual de los conflictos tiene que ver con los conceptos de guerra acuñados por estos autores.

[97] ABRISKETA, Joana: *Derechos humanos y acción humanitaria*. Alberdania S. L., págs. 39-40.
[98] VITORIA, Francisco de: *Relecciones sobre los Indios y el Derecho de la Guerra*. Colección Austral. Espasa Calpe, págs. 132 y ss.

La posibilidad de someter la guerra a normas éticas encuentra otra vía en la denominada humanización del conflicto, que, en contraposición a la tesis de la guerra total, impone límites al uso de la fuerza. El respeto a los civiles, a los combatientes heridos o enfermos, y en general a los no combatientes, está ya perfectamente definido en el pensamiento de Grocio, que expresa una muy especial sensibilidad por el dolor ajeno y el rechazo de la crueldad contra los más indefensos cuando proclama el respeto por niños, ancianos y muertos, al igual que por las personas entregadas al culto o al cultivo de la tierra, condena el asesinato por fuera de combate o la eliminación de los prisioneros y prohíbe cualquier riña con los vencidos[99].

En definitiva, desgraciadamente es innegable que la guerra como acto violento es un fenómeno propio de la condición humana, y que una guerra libre de crueldad y violencia es prácticamente imposible, como lo es hoy por hoy poner fin a su práctica. Ahora bien, no es ni mucho menos descabellada su humanización, por lo que, siguiendo a Kant, el esfuerzo por someterla a normas jurídicas y éticas debe ser una realidad poco grata pero inevitable en la condición actual de las relaciones internacionales. Ése es según el autor alemán el primer paso para una paz duradera, que, junto con el respeto de la dignidad del enemigo, acaba por allanar el camino hacia el reconocimiento futuro entre las partes enfrentadas[100].

---

[99] GROCIO, Hugo: *Del derecho de la guerra y de la paz.* Tomo I, Libro 1.º, págs. 127-146.
[100] KANT, Inmanuel: *Sobre la paz perpetua.* Segundo artículo definitivo de la paz perpetua. Alianza Editorial, pág. 38.

3. LA ASISTENCIA SANITARIA EN LAS GUERRAS

3.1. ANTECEDENTES

La protección de los combatientes heridos y enfermos data de tiempos inmemoriales. Así, existen datos que demuestran que ya en la Prehistoria hubo una incipiente asistencia sanitaria a combatientes. Según Monserrat, en el Neolítico se manejaban técnicas elementales para la ejecución de sangrías, apertura de abscesos, reducción de luxaciones, inmovilización de fracturas con moldes de arcilla que se dejaban endurecer, amputaciones y trepanaciones. Para estas operaciones quirúrgicas utilizaban fragmentos de piedra muy cortantes, lascas, espinas de pescado, crines de caballo como hilos de sutura, y como medicamentos, musgo, ceniza, hojas secas y bálsamos, sustancias aromáticas obtenidas por incisión de ciertos árboles, que se aplicaban como remedio en heridas y llagas[101].

Seguramente es la egipcia la primera civilización en incorporar médicos a sus ejércitos, aunque no eran militares sino profesionales que acompañaban a las fuerzas, cobrando por la prestación del servicio. De su atención a los heridos destaca el avance en el tratamiento de heridas, su conocimiento del nepente, fármaco obtenido de una planta de la familia de las nepentáceas cuyo nombre, etimológicamente, significa exento de dolor, conocimientos que

---

[101] MONSERRAT, Salvador: *La Medicina militar a través de los siglos*. Servicio Histórico Militar, pág. 11.

desgraciadamente se perdieron en Grecia[102]. Igualmente de ellos es la higiene de las tropas como medio de lucha contra la propagación de epidemias.

En cuanto a los persas, decir que por lo general no acudían a la guerra sin sus *epimeletai* o curadores de heridas, personajes a caballo entre los cirujanos y los enfermeros y que no entraban en combate sino que se dedicaban a cuidar de los heridos[103].

En Grecia los médicos eran a la vez combatientes, aunque no existía una organización de la asistencia sanitaria en campaña. Los soldados no eran asistidos hasta que terminaba el combate, con lo que los heridos eran atendidos en el momento por algún compañero o trataban de curarse por sí mismos, si podían. Apolonio de Rodas cuenta que Eribotes curó al padre de Ajas con unos medicamentos que extrajo de una caja que llevaba sujeta al cinto, esto es, con lo que posteriormente se ha llamado paquete de cura individual que hoy día forma parte del equipo de cada soldado para primeros auxilios en todos los ejércitos del mundo[104].

Las legiones mantenían una incipiente asistencia médica permanente y específica, que estaba constituida por médicos *(medicus ordinari)*, enfermeros *(secundum medici)* y camilleros. Son los romanos, y concretamente el emperador Augusto, los primeros organizadores de la sanidad militar profesional que, dicho sea de paso, con el tiempo alcanzó gran prestigio precisamente por la dependencia que tenía el Imperio de sus ejércitos, utilizados no sólo en las guerras de conquista, sino también como policía interna y mano de obra para las grandes obras públicas.

En este entorno, son también los romanos quienes ven la necesidad de mantener instalaciones permanentes para el cuidado de los heridos y enfermos, que denominaban *Valetudinarias*. Restos de ellas se han encontrado en la frontera germánica, en la cuenca del Danubio o incluso en las islas Británicas y costas norteafricanas. Importantes son las aparecidas en Aliso o Betera. Los hospitales militares de las legiones romanas se situaban dentro de los campamentos. Había salas separadas para enfermos y heridos. La sala de los enfermos se situaba lo más retirada posible, y sólo tenía una entrada para aislar a los soldados enfermos del resto de la tropa sana. Los enfermos estaban en cama durante unos días, hasta que se recuperaban. Había además otras instalaciones para proporcionar cierto bienestar a aquellos que estuvieran tan enfermos que no pudieran incorporarse a sus unidades de combate durante un tiempo.

---

[102]   LÓPEZ EIRE, Pedro: *Homero. La Odisea.* Austral, pág. 111.

[103]   MONSERRAT, Salvador: *La Medicina militar a través de los siglos.* Servicio Histórico Militar. Pág. 46.

[104]   *Opus cit.* Pág. 33.

Estos hospitales semipermanentes se servían de las canalizaciones y saneamientos de los campamentos en que se instalaban, tenían incluso calefacción y buena ventilación y en ellos se practicaban las especialidades de la época, medicina interna, urología, oftalmología y sobre todo cirugía. Los cirujanos usaban prácticamente los mismos instrumentos que hace 100 años: fórceps, escalpelos, catéteres e incluso extractores de flechas.

La caída del Imperio implicó el arrasamiento de toda su civilización, lo que supuso un golpe frontal para todos los saberes, incluida la medicina[105]. En el ámbito militar desaparecieron los hospitales y la asistencia sanitaria pasó a ser nula. Los ejércitos simplemente no la contemplaban y los heridos otra vez se curaban ellos mismos o ayudados por sus compañeros, de ahí el índice casi absoluto de mortalidad que se maneja en las cifras de la época. Por supuesto, tampoco había hospitales o instituciones de recogida para heridos y enfermos.

En Bizancio la cosa fue radicalmente distinta, pues allí se copiaron los procedimientos y usos empleados por los ejércitos romanos en el Bajo Imperio. En su organización figuraban unidades de atención médica para heridos y enfermos, en las que existían médicos y enfermeros, entre los que se contaban los *scrimon*, médicos que seguían a las tropas situándose sin armas a cien pasos de la vanguardia, y allí tenían la misión de prestar los primeros auxilios a heridos y enfermos, llevando consigo los medicamentos necesarios. Además, había dos clases de hospitales en retaguardia: el hospital para soldados estropeados y el hospital asilo para soldados inválidos, instituciones muy en consonancia con el nivel cultural y asistencial del Imperio de Oriente[106].

Los ejércitos árabes tuvieron especial preocupación por la atención médica a sus tropas, siendo los primeros en dictar normas para atender a los heridos y enfermos en campaña. Y aunque en los primeros tiempos el servicio sanitario no existía y tan solo algunos soldados viejos sin ninguna formación, pero hábiles en la extracción de dardos, acompañaban a los ejércitos, pronto se fueron organizando los servicios sanitarios. De ellos destacaban unos jinetes en la retaguardia, que, a la vez que recogían heridos y enfermos, también recuperaban a los rezagados para devolverlos al campo de batalla.

El gran Abú Alí Ibn Sina, Avicena, participó como médico en la batalla de los Cuervos, entre el ejército Kurdo y el de Gaznawi. De aquella experiencia describe con todo detalle la atención a un herido con fractura de tibia, al que tras reducirla trata con aceite alcanforado e inmoviliza con un entablillado de cañas. En otro caso describe que detiene una hemorragia con cauterio, sutura

---

[105] *Opus cit.* Págs. 66 y ss.
[106] *Opus cit.* Págs. 98-99.

la herida con hilo de palmera y apacigua los dolores distribuyendo decocciones de opio. Además, en este testimonio da cuenta de la existencia de unos carromatos específicos para la atención de heridos y enfermos en la misma zona donde tenía lugar la batalla, antecedente de lo que hoy llamamos unidades móviles o dispensarios ambulantes[107].

Por otra parte, diversos documentos dan cuenta de lo avanzado de la medicina militar entre los árabes. En ellos se habla con frecuencia del Real donde se curaban los heridos, un sitio apartado del lugar donde tenían lugar las hostilidades, en el que se colocaban unas tiendas de campaña a tal fin. Igualmente, en el tratado que Rasis dedica a Almanzor se exponen numerosos y acertados consejos acerca de la conducta de los jefes para la conservación de la salud de sus tropas, como por ejemplo la situación de las tiendas de los heridos y enfermos o su alimentación[108].

Durante la Edad Media la sanidad militar era muy rudimentaria. Las tropas ya no eran profesionales como en la época romana, sino que se nutrían de mesnadas que el señor feudal reclutaba para cada guerra, por lo que su vida o estado de salud no era tan importante para los poderosos, de ahí que la preocupación por su curación no fuera prioritaria. Entre la recluta no podían incluirse ni médicos ni cirujanos, con lo que la atención sanitaria se realizaba por los «cuadrilleros», que a la vez que atendían los aspectos sanitarios cuidaban del botín y se encargaban de su reparto. Más tarde se incorporaron los «apotecarios», especie de enfermeros sin ninguna preparación salvo la experiencia. En aquella época no existía ningún tipo de instalación sanitaria permanente o móvil, por lo que los enfermos y heridos eran abandonados en el campo de batalla o trasladados a posadas o conventos.

Pese a lo anterior, no dejaron de producirse actuaciones positivas. En un texto del año 1108 se dice: «Acogieron con bondad a varios musulmanes que les pidieron refugio, hicieron que les vendaran las heridas, dieron ropa a los hombres que carecían de ella y después enviaron a todos a su país»[109].

En todo caso, poco a poco fue cambiando la preocupación por la suerte de los heridos hasta que aparecieron las primeras tiendas para acogerlos. Son elementos móviles para una primera atención, desde donde los pocos que sobrevivían eran trasladados como anteriormente a conventos o instituciones sanitarias civiles.

---

[107] SINOUÉ, Gilbert: *Avicena o la ruta de Isfahán.* Zeta bolsillo, págs. 275 y ss.

[108] GÓMEZ RODRÍGUEZ, Luis: *Los hijos de Asclepio. Asistencia sanitaria en guerras y catástrofes.* Repositorio Uned. Tesis, págs. 93-95.

[109] REY MARCOS, Francisco y CURREA LUGO, Víctor de: *El debate humanitario.* Icaria Editorial, págs. 57 y ss.

Las Cruzadas cambiaron definitivamente la orientación, a buen seguro por la condición noble de un número importante de sus componentes. En esa época surgieron las primeras Órdenes Militares, precisamente para atender a los heridos y enfermos de las Cruzadas. En un principio, su misión primordial era exclusivamente sanitaria: atender a heridos y enfermos y crear hospitales donde aquéllos pudiesen recibir asistencia; aunque más tarde adoptaran también funciones combatientes. Hospitalarios, Teutones y Templarios «debían llevar las cosas necesarias para atender en tierra de moros a los frailes y cristianos que enfermaran», sustituyendo así a los charlatanes, monjes mendicantes y curanderos, que seguían a las tropas a las que vendían pomadas y otros productos a los que otorgaban poder curativo. Con el tiempo crearon las llamadas Casas de Dios, que tenían el triple carácter de iglesia conventual, hospital y fortaleza[110]. En la misma línea, la Orden de San Juan estableció en 1099 en Tierra Santa un hospital para dos mil pacientes.

En España destaca la labor que realizó la reina Isabel la Católica, que recibió el título de *Mater Castrorum* por su preocupación por los heridos y enfermos. En su época se reorganizó el ejército y por ende sus servicios sanitarios. La creación de un ejército regular acabó con el de mesnadas. El Gran Capitán fundó los llamados «Tercios», en los que incluyó un médico, un cirujano y varios ayudantes. Pero esto todavía no incluía referencia alguna al lugar para alojar y tratar a los heridos.

La primera instalación de un hospital de campaña se menciona por algunos autores en la batalla de Toro de 1476, que se desplazó después a Baza, aunque se da por más cierta la del hospital de Málaga en 1487, de donde pasó a Granada. Esta formación sanitaria móvil se denominó «Hospital de la Reina» y para sus traslados se utilizaban cuatrocientos carros cubiertos y fortalecidos de cualquier asalto. Garibay describe la forma de proceder en su *Compendio histórico de las crónicas e Historia Universal de España*: «No sólo ponía en estas cosas increíble cuidado esta Católica Reina, mas condoliéndose de los que cada día eran heridos y descalabrados y de otros que siempre enfermaban, quedaban a la continua seis tiendas grandes con el nombre de Hospital de la Reina, donde había muchos médicos y cirujanos y todos los medicamentos y cosas necesarias para restaurar la salud de los hombres»[111].

El protocolo de actuación de la época establecía que los heridos fueran trasladados por los cuadrilleros a los puestos de socorro existentes en el mismo

---

[110]   GÓMEZ RODRÍGUEZ, Luis: *Los hijos de Asclepio. Asistencia sanitaria en guerras y catástrofes*. Repositorio Uned. Tesis, pág. 100.

[111]   *Opus cit.* Pág. 104.

campo de batalla, desde donde eran evacuados al Hospital de la Reina. Una vez estabilizados, los caballeros continuaban su curación en los castillos y los soldados eran trasladados a las Casas de Dios de las Órdenes Militares.

Finalizada la guerra, el hospital se trasladó a la Alhambra en lo que se entiende como el primer hospital militar de fábrica. De allí, se traslada a Madrid para formar el Hospital de la Corte.

Esta forma de asistencia organizada a los heridos en el campo de batalla que nació con los Reyes Católicos supuso, según Laín Entralgo, el nacimiento de la medicina militar moderna[112]. El modelo español, de probada eficacia en la conquista de Granada, fue exportado al resto de los países de nuestro entorno, que sin embargo tardaron en adoptarlo casi cien años.

En Alemania, el emperador Maximiliano organizó su ejército en Regimientos hacia 1550, en cuya plana mayor había un médico al que ayudaba un cirujano-barbero por cada compañía, que a su vez se encargaba de retirar los heridos del campo de batalla, estabilizarlos y transportarlos en ambulancias, auxiliados de soldados sin formación sanitaria. Francia hizo lo propio en 1538, poniendo en cada Banda a un médico, un cirujano y un boticario[113].

En cuanto a los hospitales fijos, en el siglo XVI, se crearon hospitales estables para atender a las tropas, pero siempre siguiendo el modelo granadino. Fue Carlos I quien fundó en Madrid el Hospital de Nuestra Señora del Buen Suceso, al que siguió en Navarra otro creado por el virrey. Tras el de Jaca y otros similares, Alejandro Farnesio funda en Malinas (Flandes) un hospital destinado a sus tercios, considerado un auténtico centro base atendido por los hermanos de San Juan de Dios y que fue dotado del primer reglamento hospitalario militar en 1585. Su plantilla estaba compuesta por un médico jefe, tres médicos ayudantes, un cirujano mayor con siete cirujanos a sus órdenes, así como diverso personal auxiliar, enfermeros y mozos de sala.

Además, su estructura se completaba con hospitales de campaña en tiendas, capaces de atender las necesidades primarias de los heridos antes de trasladarlos al principal. El hospital llegó a tener alrededor de trescientas camas en las que recibían atención hospitalaria heridos y enfermos. Los heridos eran sobre todo por espada, pica o bala de arcabuz. En cuanto a las enfermedades, las más comunes eran el mal del corazón (tal vez una neurosis de guerra), la

---

[112]   LAÍN ENTRALGO, Pedro: *Historia de la medicina*. Salvat editores, pág. 385.
[113]   Las Bandas eras unidades similares a los Regimientos, integradas en las Legiones creadas por el rey Francisco I en su organización de 1534. Cada Legión se componía de seis Bandas, cada una de unos 1.000 hombres y mandadas por un coronel.

enfermedad incurable (quizá tuberculosis o malaria) y las enfermedades venéreas como «el mal gálico», y otras[114].

A su imagen se fundaron nuevas instituciones sanitarias en diversas partes de España. E igualmente el modelo fue utilizado por las tropas francesas, primero en Amiens (1551) y más tarde en Metz (1559) y Rouen (1591). Ahora bien, la creación de ejércitos permanentes en Francia, junto al incremento de las guerras y la sofisticación del armamento, hicieron que poco a poco se superaran las expectativas de mera sanidad de los hospitales, surgiendo la necesidad de convertirlos en centros asistenciales para inválidos y mutilados. No se olvide que hasta el siglo XVI la mortalidad de los heridos en campaña era prácticamente absoluta y que con la implantación de los hospitales el índice de supervivencia mejoró notablemente, dentro naturalmente de los parámetros de la época.

Es, sin embargo, en el siglo XVII cuando los ejércitos comienzan a preocuparse seriamente por los militares que tras sobrevivir a las guerras presentaban secuelas que iban a arrastrar de por vida. Durante el reinado de Luis XIV, en el primer tercio del siglo XVII, aparecen los grandes hospitales militares franceses como solución al asilo de los soldados inválidos y protección del monarca a sus tropas. En 1604 surge en Lille el Hospital Militar Permanente, que encuentra su réplica en el sur en el Hospital de Bayona de 1644. Tras ello se funda el Hospital de Estrasburgo de 1681. De todos, el más destacable y grandioso es la Institución para veteranos de guerra en lo que más tarde sería el Hospital General de París. El más claro exponente es el Hotel Royal des Invalides de París, cuyo proyecto se realiza entre 1670 y 1676, inspirado en la monumentalidad del Monasterio de San Lorenzo de El Escorial. Los Inválidos, al margen de su inspirada y artística planta, prestaron servicio como enfermería militar hasta el período contemporáneo.

La experiencia española pues, completada por el modelo francés, se exporta al resto de los países entre los siglos XVI y XVII, en los que los monarcas se imbuyen de las ideas asistenciales a heridos y enfermos por causa de la guerra. Prácticamente todos los Estados aprueban por entonces disposiciones sobre asistencia sanitaria en campaña. En cuanto a los hospitales, en Londres se edificó el Chelsea Hospital entre 1682 y 1692 y un hospital especial para inválidos en Greenwinch entre 1692 y 1717. Precisamente éste es el primero y más importante hospital hecho en pabellones. De igual forma, en Viena se construye la Casa de los Inválidos en 1686 y en Berlín el Asilo para Inválidos

---

[114] GÓMEZ RODRÍGUEZ, Luis: *Los hijos de Asclepio. Asistencia sanitaria en guerras y catástrofes.* Repositorio Uned. Tesis, pág. 118.

en 1730. Chequia y Rusia levantaron los suyos ya en pleno siglo XVIII, concretamente en 1706, 1718 y 1751.

En España la actividad normativa se plasma en los reglamentos de 1704 y 1706, la Real Orden de 1710, el Real Decreto de 1716, la Real Orden de 1718, el Reglamento de 1721 y la Real Orden de 1728. El proceso culmina en 1739 con una reglamentación para hospitales militares aprobada por Felipe V, que es la piedra angular de la Sanidad Militar española. En dicha disposición se regula el funcionamiento de los hospitales militares de cada Ejército en tiempo de paz y la forma de constituir a partir de ellos los correspondientes hospitales de campaña de los Ejércitos en tiempos de guerra[115].

La protección de los militares heridos en combate es ya una constante. Por fin, en 1780, se redacta el Primer Tratado y Convenio para los enfermos, heridos y prisioneros de guerra de que se tiene noticia. No se olvide que por aquella época el noventa por ciento de los heridos en combate morían a los pocos días, víctimas de infecciones, falta de asistencia, hambre, etc. A principios del siglo XIX la mayoría de los heridos propios o ajenos eran abandonados a su suerte en casas particulares o conventos, sin dejar asegurada alimentación ni asistencia sanitaria y normalmente en unas condiciones de salubridad deplorables.

Se hacía pues necesario un acuerdo para proteger en lo posible a esos servidores públicos, por lo que años después, en 1820, se hizo un llamamiento internacional para que todas las naciones firmaran un convenio para reconocer como no enemigos a los combatientes prisioneros, enfermos o heridos y a prestar el apoyo necesario a los hospitales[116]. El intento no tuvo éxito, pero la concienciación fue importante porque ya en la guerra de Crimea de 1853 la tasa de mortalidad de los heridos en combate descendió al sesenta y dos por ciento, aunque en las heridas penetrantes por arma de fuego la tasa siguiera rondado el cien por cien[117]. Incluso en 1863 el código de oficiales sanitarios en tierra prohíbe que en la retirada se abandonen heridos sin prestarles asistencia sanitaria.

3.2. LA CREACIÓN DE LA CRUZ ROJA Y LOS CONVENIOS DE GINEBRA

Mas con todo, la regulación de la asistencia sanitaria se debe a la intervención del suizo Henry Dunnant. Dedicado a los negocios, en 1859 se

---

[115]   *Opus cit.* Pág. 120.

[116]   GUILLERMAND, Jean: Contribución de los médicos de los ejércitos a la génesis del derecho humanitario. *Revista Internacional de la Cruz Roja*, 14, págs. 323-351.

[117]   NAVARRO SUAY, Ricardo: *Bajas por armas de fuego y explosivos*. Ministerio de Defensa, pág. 59.

trasladó al Norte de Italia para tratar uno de ellos con Napoleón III, que se encontraba en plena guerra con los austriacos. Por esa razón presenció el final de la batalla de Solferino, una de las más cruentas de la época, en la que participaron más de 300.000 hombres que se destrozaron en una confrontación que se prolongó más de 17 horas y dejó más de 4.200 muertos y casi 30.000 heridos y desparecidos. El horror de la guerra era tal que Dunnant quiso hacer algo por los militares heridos que quedaban en el campo de batalla y allí mismo organizó un servicio de socorro para asistir a los heridos sin distinción de bando.

Años después, en 1862, escribió *Recuerdos de Solferino*, libro en el que relató con todo lujo de detalles la desolación del campo de batalla y, sobre todo, la falta de asistencia sanitaria y las terribles muertes de los heridos que eran abandonados a su suerte sin atención ni consuelo, concluyendo en que la Humanidad y la Civilización requerían imperiosamente la creación de sociedades de socorro a los heridos. Entre otras cosas Dunnant se pregunta en su libro, ¿qué príncipe, qué soberano rehusaría apoyar a tales sociedades, y no sería feliz dando a los soldados de su ejército la absoluta garantía de que, si caen heridos, se les prestará inmediata y apropiada asistencia? ¿Qué Estado no querría otorgar su protección a quienes intenten, así, conservar la vida de ciudadanos útiles? ¿No es perentorio insistir en que se han de prevenir o, por lo menos, aminorar sus horrores, no solamente en los campos de batalla, sino también, y sobre todo, en los hospitales, durante esas tan largas y tan dolorosas semanas para los desdichados heridos?[118].

El libro caló hondamente en la opinión pública. Su éxito llevó a Gustave Moynier, presidente de la sociedad ginebrina de utilidad pública, a pedir que en su seno se creara un comité que trabajara las propuestas de Dunnant. El llamado Comité Internacional de Socorros a los militares heridos, más conocido como Comité de los Cinco por estar formado por Moynier y Dunant, además del general Dufour y los médicos Appia y Maunoir, es el antecedente de la actual Cruz Roja Internacional. Su ingente actividad culminó en la convocatoria de una conferencia diplomática internacional a la que asistieron 36 personas en representación de 16 países, y que concluyó en 1864 adoptando diez resoluciones que constituyen el fundamento de las sociedades de socorros a los militares heridos, embrión de las futuras Sociedades de la Cruz Roja y, más tarde, de la Media Luna Roja[119].

[118] DUNNANT, Henry: *Un recuerdo de Solferino*. Comité Internacional de la Cruz Roja, pág. 47.

[119] Disponible en https://www.icrc.org/spa/resources/documents/misc/5tdmxa.htm.

Así pues, la razón de ser de la Cruz Roja fue desde sus inicios la asistencia a heridos y enfermos en las guerras sin distinción de bando. Para Dunnant y por ende el resto del comité, los voluntarios de las sociedades de socorro sólo podrían actuar eficazmente y sin correr el riesgo de ser rechazados por los soldados si se diferenciaban de los simples civiles y de los militares combatientes mediante un signo distintivo, quedando además así protegidos durante los combates. Es éste el concepto de la neutralización de los servicios sanitarios y de los enfermeros voluntarios que se recoge en los Convenios de Ginebra, que, como veremos más adelante, articulan un estatuto de protección de los heridos y del personal sanitario para que los primeros puedan ser atendidos sin cortapisas. Es pues y en definitiva la evolución lógica del pensamiento que inspiró la aparición del *ius in bellum* que ya hemos comentado.

Con la aprobación y entrada en vigor de los convenios, el amparo de los combatientes heridos ha derivado al de todos los no combatientes, esto es, civiles y personas con especial protección, evolucionando el Derecho de los conflictos armados al más amplio concepto de Derecho humanitario, aplicable a guerras, catástrofes y otras situaciones de emergencia. Respecto a la concreta atención a los heridos, el estado de la técnica y la facilidad y rapidez de los transportes y las comunicaciones ha mejorado ostensiblemente en los últimos tiempos, de forma que hoy día es protocolo general en los ejércitos más modernos del mundo que la recogida, estabilización, transporte y atención especializada en zona de operaciones se complemente con la evacuación de los heridos a los distintos territorios nacionales para su tratamiento en grandes hospitales.

Y ello sin olvidar que la asistencia a heridos es una de las principales preocupaciones de todos los ejércitos de los países de nuestro entorno, y que la colaboración sanitaria de los ejércitos aliados es absoluta. Tan importante es, que no tiene nada de extraño que la recogida y estabilización de un herido la realicen los sanitarios de un país, la atención especializada la hagan los de otro y el traslado a territorio nacional lo lleven a cabo los de un tercero. Todo ello ha incidido de forma notable en el descenso de la tasa de mortalidad.

3.3. El desamparo de los heridos y la utilización de la ciencia médica como arma en los conflictos bélicos

Del mismo modo que desde tiempos inmemoriales se ha procurado cuidado y atención sanitaria a heridos, enfermos y prisioneros, la tentación de utilizar el acto médico para humillar al enemigo, torturarlo y diezmarlo viene de muy atrás. Ya la tradición hipocrática exigía al médico no utilizar su ciencia y su arte para hacer daño (principio de no maleficencia), pero tal mandato ha sido reiterada y sistemáticamente violado en el transcurso de los conflictos armados. Dice Gómez Ulla que en Grecia los beneficiarios de la cirugía que se practicaba en el entorno de sus ejércitos eran los combatientes propios, pues los heridos enemigos eran literalmente pasados a cuchillo[120]. De igual modo, los antiguos bretones mataban a heridos y prisioneros con técnicas crueles. Por lo general, en la antigüedad unos y otros se consideraban prácticamente despojos humanos a los que se podía matar, vender o explotar a voluntad, con lo que si a los heridos se les curaba era para obtener un beneficio, nunca por razones de humanidad.

En la Edad Media, la ética cristiana cambió la orientación, de forma que el enemigo no combatiente, herido, enfermo o prisionero, pasó a ser destinatario de la generosidad del vencedor, aunque ciertamente una vez curado el herido pasaba a ser prisionero y como tal podía ser redimido del cautiverio mediante el pago de un rescate[121]. La tendencia general por tanto cambió, aunque las desatenciones a heridos contrarios fueran constantes. Eso sí, las ideas avanzaban hacia su protección. En este sentido, un texto de 1581 afirma que «en cuanto a los heridos y enfermos, su intención es que se beneficien, cuando estén mejor, de las mismas ventajas que sus compañeros y que se dé a unos y otros pasaportes y escoltas, para conducirlos hasta que estén fuera de peligro»[122].

Y avanzando en el tiempo, Rousseau llegó a afirmar que la guerra es una relación de Estado a Estado, en el que los enemigos lo son sólo de manera accidental, de tal modo que los soldados son enemigos sólo mientras empuñan las armas y una vez que las deponen se convierten en simples ciudadanos de cuya vida nadie tiene derecho a disponer[123].

Más con todo, la práctica dominante era atender a los heridos propios y dejar a los del enemigo, procurando que incluso fueran una carga para ellos, hasta el punto de que el barón Rogniat recomienda como estrategia hostigar

---

[120]   GÓMEZ ULLA, Mariano: *Discurso de ingreso en la Real Academia de Medicina.* Instituto de España, pág. 9.

[121]   MELO MORENO, Vladimir: *Identidades 11: sociales.* Norma, pág. 131.

[122]   REY MARCOS, Francisco y CURREA LUGO, Víctor de: *El debate humanitario.* Icaria Editorial. Pág. 58.

[123]   ROUSSEAU, Jean Jacques: *El contrato social.* Edición de M.ª José Villaverde. Itsmo., pág. 51.

al enemigo en retirada para que se vea forzado a abandonar a su suerte a heridos y enfermos en los malos caminos y desfiladeros, recomendando así una utilización táctica de su sufrimiento incluso en la huida, algo que desde luego no casa con la moral cristiana imperante en los países de nuestro entorno[124].

Aunque la causa más corriente de desatención a heridos y enfermos de las fuerzas enemigas es dar prioridad a la asistencia de las propias desechando el criterio de urgencia, tradicionalmente han existido otros motivos no menos rechazables. Entre ellos pueden señalarse la obtención de una ventaja militar, la simple venganza o la de ahorrar suministros médicos para su uso con el personal de los ejércitos amigos.

Otras veces la desatención se debe a motivos políticos, religiosos o étnicos, o incluso por el robo de equipamientos en hospitales y centros asistenciales de primera línea. Los Convenios de Ginebra, que más tarde estudiaremos en detalle, han intentado poner fin a este tipo de situaciones, instaurando precisamente el criterio de la urgencia sanitaria como prioritario en la atención a heridos y enfermos. Observadores de organizaciones internacionales, principalmente del Comité Internacional de la Cruz Roja, y medios de comunicación procuran velar por la aplicación de las normas, aunque en la mayor parte de los conflictos armados se describan transgresiones a las mismas.

Con todo, la desatención a los heridos de los enemigos no es ni mucho menos el peor acto en el que puede verse envuelta la profesión sanitaria en un conflicto armado. La ciencia médica se ha utilizado profusamente en la guerra biológica, en torturas y en la experimentación con humanos, de tal modo que históricamente es raro el conflicto armado en el que no han existido actos médicos execrables, destinados a cambiar el curso de la guerra o cuando menos inclinar el triunfo de una batalla de uno u otro lado.

La guerra biológica, entendida como uso intencionado de virus, bacterias, hongos, parásitos o toxinas procedentes de agentes vivos con la finalidad de causar muerte o enfermedad en el hombre, animales o plantas, no es algo propio de nuestros días. Ya en el siglo VI a. de C., los asirios envenenaban pozos enemigos con desechos pútridos y hongos. Solón de Atenas envenenó los suministros de agua durante el sitio de *Krissa* con plantas de efecto purgante (eléboro). En el siglo IV los escitas envenenaban sus flechas con sangre y restos de cadáveres en descomposición. Y en el año 184 a. de C., las fuerzas de Aníbal arrojaban recipientes llenos de serpientes contra las huestes del rey Eumenes de Pérgamo.

---

[124] ROGNIAT, Barón de: *Consideraciones sobre el arte de la guerra, traducidas y ampliadas por Juan de la Carte.* Juan. Imprenta de Eusebio Aguado, pág. 304.

La utilización de cadáveres para contaminar aguas y propagar enfermedades ha sido profusa. Desde el emperador Barbarrosa en 1155 a los mongoles en 1340 o los usitas en 1422, han sido muchos los combatientes que se han servido de tal técnica para diezmar al enemigo. Por no hablar de la distribución de mantas y ropas de enfermos de viruela o fiebre amarilla o el anegamiento de tierras para difundir el paludismo en el siglo XVIII. Es decir, con mayores o menores conocimientos científicos, los hombres han usado siempre armas biológicas en las guerras, aunque ha sido en el siglo XX cuando mayores estragos han causado.

Aunque ya en 1916 hubo finlandeses que inocularon ántrax a caballos rusos, fue sin duda en la I Guerra Mundial cuando comenzó la utilización en serie de las armas biológicas y químicas. Y tal fue su éxito que tras la contienda varios ejércitos pusieron en marcha programas de guerra bacteriológica, cuyos resultados se vieron en la Segunda Guerra Mundial, en la que se tiene certeza de que los contendientes de uno y otro bando la usaron puntualmente y dedicaron recursos económicos y medios humanos y materiales a su investigación.

En esta guerra se utilizaron entre otros *Bacillos anthracis, Yersinia pestis, Francisella tularensis, Alphavirus y Salmonella.* Como ejemplo baste decir que en 1942 el ejército inglés probó los efectos de bombas de carbunco en la isla de Gruinard, llamada desde entonces *anthrax island.* No se declaró descontaminada hasta 1999 y aún hoy día sigue deshabitada.

Ahora bien, pese a este avance funesto de la guerra biológica, el verdadero horror de la Segunda Guerra Mundial estuvo en la utilización del acto médico para experimentos humanos y asesinatos en masa. Porque la participación de médicos y otros profesionales sanitarios en el genocidio es indiscutible.

3.4. LA EXPERIMENTACIÓN MÉDICA Y EL GENOCIDIO EN LA SEGUNDA GUERRA MUNDIAL

Dice el Premio Nobel de la Paz Elie Wiesel que, durante el período que él llama «La Noche», en ciertos lugares se practicó la medicina no para sanar sino para infligir dolor, no para combatir la muerte sino para administrarla[125].

Mucho se ha escrito sobre las atrocidades cometidas por los nazis en la Segunda Guerra Mundial. La literatura científica, jurídica y ética es tan

---

[125]   WIESEL, Elie: Sin conciencia (Without Conscience). *The New England Journal of Medicine,* abril 2005, pág. 1511.

abundante como millones los muertos por esa causa. Siempre que nos referimos al genocidio aludimos a todos aquellos horrores, dejando un poco de lado los llevados a cabo en los prolegómenos de la barbarie, que se tradujeron en las prácticas eugenésicas y eutanásicas realizadas entre los años 1939 y 1941, en territorio alemán y con alemanes. Hitler y su lugarteniente Himmler pusieron en marcha el llamado Aktion T4, programa de eutanasia para eliminar niños con malformaciones, discapacitados psíquicos, enfermos mentales o adultos inválidos o necesitados de asistencia. Dirigido por el traumatólogo Karl Brandt, amigo personal de Hitler, se estima que la aplicación del programa sirvió para asesinar entre 200.000 y 275.000 personas, cuya vida según la filosofía del plan era indigna de vivirse. El programa fue tan agresivo con los enfermos mentales que el profesor Wurth, jefe del ala de psiquiatría del hospital de la Wermacht, llegó a preocuparse no de los enfermos, sino del futuro de la especialidad si no iban a quedar pacientes a los que tratar[126].

Lo verdaderamente deleznable fue la participación de los médicos alemanes. En Alemania había una comunidad médica judía importante, que alcanzaba al 16 por ciento del cuerpo médico. Del resto, el 44 por ciento se afilió al partido nazi. Pero aun así, la práctica totalidad de los facultativos conocían las prácticas que se estaban llevando a cabo y las silenciaron o no alzaron su voz contra ellas. Unos pocos participaron activamente en las atrocidades, pero la mayoría callaron. Tanto es así que el programa Aktion T4 no terminó porque los médicos se opusieran a él, sino porque el obispo de Münster, Clemens Von Galen, lo denunció en su púlpito en septiembre de 1941.

El programa incluyó la creación de un registro oficial de enfermedades hereditarias y congénitas, para lo cual los médicos estaban obligados a informar de todo nacimiento de inválidos o deformes. Se crearon comisiones y tribunales especiales, compuestos por un juez y como mínimo dos médicos (uno o dos pediatras y un psiquiatra) que analizaron cien casos diarios. Y en ese proceso colaboraron médicos y enfermeros.

Con el comienzo de la Segunda Guerra Mundial creció drásticamente la presión para eliminar a los enfermos mentales crónicos e incurables. El Ejército necesitaba camas hospitalarias, y los psiquiatras no opusieron resistencia. Los enfermos mentales esperaban desnudos para ser ejecutados en una habitación camuflada como lavandería. La tarea de abrir la válvula de un depósito de monóxido de carbono correspondía a un psiquiatra.

---

[126] *Opus cit.* Pág. 1512.

Además de éste se utilizaron otros métodos más discretos pero igualmente eficaces como la esterilización, inyecciones letales, desnutrición o inyecciones de dosis bajas de barbitúricos que favorecían la aparición de una neumonía que generalmente era terminal. Los médicos del programa emitían certificados de defunción falsos con los que se informaba a la familia que habían fallecido de causa natural.

La matanza de enfermos mentales, extendida también a pacientes crónicos sin esperanzas de tratamiento efectivo, fue pues una eutanasia masiva de alemanes, llevada a cabo por su propio Gobierno con una relativa discreción[127].

Otra práctica execrable de aquella época fue la experimentación con humanos. De ésta, lo primero que hay que decir es que ni fue una práctica exclusiva de la Alemania nazi ni se acabó al final de la guerra. Hay mil y un ejemplos. En Estados Unidos la experimentación con esclavos negros fue habitual en el siglo XIX. Así, el doctor Thomas Hamilton metió un esclavo en un horno para estudiar los efectos de la hipertermia. O el mismísimo Ephrain MacDowel, padre de la cirugía ginecológica, que antes de extirpar un tumor en ovario a una paciente blanca lo había hecho con cuatro esclavas negras. Famosa es, en fin, la sentencia del juez Holmes de 1927, que permitió la esterilización involuntaria de una deficiente embaraza, hija a su vez de otra deficiente, plasmando en su resolución: «Con tres generaciones de imbéciles basta».

Con todo, la experimentación con humanos llevada a cabo por los nazis no tuvo parangón. Vivien Spitz, taquígrafa en los juicios de Núremberg, describió en toda su crudeza los espeluznantes relatos que de ellos se hicieron en la vista oral del Caso Médico o Caso n.º 1, proceso seguido por un Tribunal Especial de Estados Unidos a los médicos del Tercer Reich celebrado en Núremberg entre 1946 y 1947, inmediatamente después del gran proceso a los principales dirigentes nazis. Tal fue el horror que vivió haciendo su trabajo en las pruebas testificales que después de volver a su país sufrió durante más de tres años terribles pesadillas[128].

En el Caso Médico se juzgó a veinte médicos, entre ellos el ya citado Karl Brandt, el presidente de la Cruz Roja alemana o los jefes de los servicios médicos de las Waffen SS, Luftawffe, SS, Fuerza Aérea, y tres auxiliares no facultativos, el jefe de administración de la Cancillería, el secretario personal

---

[127] SHERIST, Moshe: *Medicina en la era Nazi. Yad Vashem.* Escuela Internacional de Estudios del Holocausto. Disponible en http://www.yadvashem.org/.

[128] SPITZ, Vivien: *Doctores del infierno.* Tempus, pág. 308.

de Himmler y el director de Ahnenerbe[129]. Los delitos que se les imputaron fueron conspiración, crímenes de guerra, crímenes contra la humanidad y pertenencia a organización delictiva, todo ello por instigar, ordenar, participar de forma consciente y voluntaria en experimentos médicos sin el consentimiento de los sujetos y —según la acusación— con los que los acusados cometieron asesinatos, vejaciones, torturas, atrocidades y otros actos inhumanos.

Entre los experimentos que quedaron probados que fueron realizados por los acusados están los siguientes:

- Experimentos sobre resistencia a altitudes elevadas, realizados con cámaras hiperbáricas en las que sus ocupantes eran sometidos a presiones de altura de incluso veinte mil metros.

- Experimentos de congelación. Las víctimas eran colocadas en un tanque de agua helada por espacios de hasta tres horas.

- Experimentos sobre exposición a malaria, hepatitis, tifus y tuberculosis.

- Experimentos con gas mostaza y fósforo. Se practicaban incisiones a las víctimas, para luego infectarlas con estos gases. Y también se aplicó directamente a la persona fósforo y otros elementos usados en guerra química.

- Experimentos con sulfanilamida aplicada a heridas incisas realizadas previamente, que eran infectadas con estreptococos o tétanos o en las que se introducían virutas de madera y cristal molido.

- Experimentos sobre regeneración de huesos, músculos y nervios y trasplante de huesos. Se extirparon fragmentos de huesos, músculos y nervios para analizar la regeneración de tejidos.

- Experimentos con venenos. Se ponía veneno en la comida de las víctimas o se les disparaba con balas impregnadas en él.

- Experimentos genéticos y raciales. Los experimentos con gemelos, mellizos y enanos tenían por objeto la duplicación y pureza de la raza aria. Mengele realizó en el campo de prisioneros de Auschwitz múltiples pruebas con ellos, desde biopsias de diferentes órganos sin anestesia a extirpación de órganos o extremidades, castración o cirugías de cambio de sexo, pruebas con agentes físicos, químicos y psicológicos[130].

---

[129] La Ahnenerbe, o sociedad de estudios para la historia antigua del espíritu, fue un organismo creado en el seno de las SS para fomentar un sentimiento ultranacionalista en Alemania. Su labor de enaltecimiento y difusión de los valores arios estaba destinada a exaltar en la sociedad el sentimiento de sentirse alemán, mediante la demostración pseudocientífica de pertenencia a una raza superior.

[130] SPITZ, Vivien: *Doctores del infierno*. Tempus, págs. 92-93.

No olvidamos evidentemente el genocidio que supuso la llamada por los nazis Solución Final. El exterminio de los judíos fue sin duda el mayor asesinato en masa de la humanidad, algo tan horrendo y estremecedor que merece ser citado, aunque no guarde relación tan directa e inmediata con la comunidad sanitaria como la eutanasia y los experimentos.

En todo caso, se calcula que fueron unos doscientos los médicos nazis que participaron en las investigaciones no éticas, que utilizaron de forma perversa la ciencia, la tecnología, las leyes y sus propios conocimientos.

Frente a esta barbarie, a esta negación de la ética médica, y para recobrar la esperanza en la verdadera filosofía asistencial que debe mover y mueve a la mayoría de los médicos, Wiesel nos propone pensar en los otros médicos de la Segunda Guerra Mundial, los médicos-víctimas. Aquellos que en los campos de concentración, sin fármacos ni instrumental, intentaron aliviar el sufrimiento y la desgracia de sus compañeros de cautiverio, a veces a costa de la propia salud o de la vida. Para ellos, dice, cada ser humano representaba no una idea abstracta, sino un universo, con sus secretos, sus tesoros, sus fuentes de aflicción y sus flacas posibilidades de vencer aunque fuera fugazmente a la muerte y sus acólitos. «En un universo inhumano, ellos siguieron siendo humanos»[131].

El proceso a los médicos terminó con la sentencia de 20 de julio de 1947. En ella, además de condenar a muerte a siete de los imputados y establecer penas de prisión para casi todos los demás —sólo 7 de los 23 acusados fueron declarados inocentes de los cargos—, estableció diez pautas para determinar cuándo es permisible la experimentación médica. De ellas seis fueron aportadas por el doctor Leo Alexander y cuatro resultaron incorporadas por el Tribunal.

Al conjunto se le conoce como Código de Núremberg y son las siguientes:

1. En el experimento es absolutamente esencial el consentimiento voluntario del sujeto humano.
2. El experimento debe dar resultados provechosos para el beneficio de la sociedad, y no puede obtenerse por otros métodos o medios.
3. El experimento debe basarse en los resultados de experimentación con animales, de tal forma que los resultados previos justificarán la realización del experimento.
4. El experimento debe ser realizado de tal forma que se evite todo sufrimiento físico y mental innecesario y todo daño.

---

[131] WIESEL, Elie: Sin conciencia (Without Conscience). *The New England Journal of Medicine*, abril 2005, pág. 1513.

5. No debe realizarse ningún experimento cuando exista una razón a priori que lleve a creer el que pueda sobrevenir muerte o lesión irreparable.

6. El grado de riesgo que ha de ser tomado no debe exceder nunca el determinado por la importancia humanitaria del problema que ha de ser resuelto con el experimento.

7. Deben realizarse los preparativos necesarios para proteger al sujeto de experimentación contra posibilidades, incluso remotas, de daño corporal, incapacitación o muerte.

8. El experimento debe ser realizado únicamente por personas científicamente cualificadas.

9. Durante el curso del experimento el sujeto humano debe tener la posibilidad de interrumpirlo.

10. En cualquier fase del experimento el científico responsable tiene que estar preparado para terminarlo, si tiene causas fundadas para creer que con toda probabilidad la continuación del experimento causará daño, discapacidad o muerte del sujeto.

El Código supuso el cambio de la posición institucional y judicial hacia la experimentación con humanos. Hasta entonces los abusos se justificaban en la baja condición de los seres utilizados y en el beneficio que obtenían la ciencia, por un lado, y la sociedad, por otro. Fue necesario que se produjeran los hechos horrendos que hemos descrito para que el mundo se diera cuenta de que la experimentación también tenía unos límites que no se pueden traspasar, que todos tienen derecho a ser tratados dignamente y que ningún avance científico puede justificar la muerte, el maltrato o la simple causación de daño a cualquier hombre, sea cual sea su raza o condición.

3.5. Los conflictos recientes

Tras la Segunda Guerra Mundial han tenido lugar numerosos conflictos armados, en los cuales para la atención a heridos y enfermos se han seguido fundamentalmente los dictados de los Convenios de Ginebra. Desde la guerra civil de Grecia en 1946, a los recientes conflictos de Siria y Ucrania, pasando por las guerras de Corea, Vietnam, de los Seis Días, Ruanda, Irak, Bosnia o Sudán, los ejércitos del mundo han librado mil y una batallas, cada vez más sofisticadas. La atención a los heridos por lo general ha mejorado, del mismo modo que se ha incrementado el despliegue de medios sanitarios en las zonas de operaciones.

A ello ha contribuido decisivamente el CICR, que mantiene presencia en prácticamente todos los conflictos, en los que, entre otras funciones, insta a los países contendientes a adoptar medidas de respeto a los derechos de heridos, enfermos y personal sanitario.

Igualmente importante ha sido la labor de la comunidad internacional, que, a través de la ONU y otras organizaciones internacionales y regionales, ha destacado personal y medios para contribuir a la atención sanitaria de heridos y enfermos militares y civiles, sin olvidar el concurso de observadores que se encargan de vigilar el respeto a las leyes y usos de la guerra.

Mas si la tarea de unos y otros es complicada en guerras entre Estados, mucho más lo es cuando se trata de conflictos armados internos, en los que el odio y la participación de milicias y grupos no integrados en fuerzas armadas de países organizados hacen que las violaciones de los convenios sean constantes. Timor Oriental, Ruanda, Somalia, Congo, Liberia, Bosnia o Kosovo son ejemplos de estas contravenciones. En todos ellos la guerra civil dejó ejemplos de violaciones de los Convenios de Ginebra sobre trato a heridos y las dificultades de los profesionales sanitarios por atenderlos.

Los conflictos más recientes muestran igualmente que las guerras internas son menos respetuosas con los heridos. En 2013 en Siria fueron continuos los llamamientos de las organizaciones humanitarias para que se permitiera la asistencia médica y humanitaria y la evacuación de heridos de la cercada ciudad de Alepo por las fuerzas gubernamentales de Basar al Assad, por cierto, oftalmólogo militar de profesión. Hoy, el terror establecido por el Estado islámico incluye el maltrato sistemático a heridos y prisioneros, que, cuando no son asesinados impunemente, mueren por falta de asistencia médica.

En Sudán del Sur, el país más joven del mundo, las cosas no son mucho más fáciles. Un cooperante de Médicos sin Fronteras escribía recientemente en *El País* que las diferencias y rencores que existen entre *dinkas y shillukshace* son tales que los enfermos no están seguros ni siquiera en hospitales custodiados por Naciones Unidas[132]. Del mismo modo, Médicos sin Fronteras también alertó de los ataques a hospitales en Ucrania, que culminaron con el bombardeo de un centro en Donetsk que causó cinco muertos[133].

---

[132] DE LA OSADA, A.: Ya llegan de nuevo las balas. *El País*, número de 25 de mayo de 2015.

[133] EFE, Agencia: Noticia de 4 febrero 2015. Disponible en http://www.efe.com/efe/america/mundo/entre-civiles-muertos-por-bombardeo-varios-edificios-donetsk/20000012-2527814.

En Colombia, el CICR informa que el conflicto, que dura más de cincuenta años, está dejando a los heridos, enfermos y personas con discapacidad en una situación grave, precisamente porque unos y otros, con frecuencia, tienen dificultades para llegar hasta donde puedan recibir atención. Las organizaciones asistenciales, por su parte, además de tener dificultades para desplazar personal sanitario o equipos adecuados, suelen encontrar imposible entrar en barrios o zonas rurales controladas por grupos armados. En este sentido, el CICR registró durante 2014 un alto nivel de ataques o bloqueos contra la Misión Médica, es decir, los servicios de salud civiles. La Institución sufrió 52 de estos hechos, incluidos los asesinatos de tres pacientes mientras recibían atención médica en Antioquia y Norte de Santander, así como el de un profesional sanitario en Antioquia[134].

Al hilo de esto último parece interesante destacar que los ataques y actos de violencia contra el personal sanitario en conflictos armados son igualmente frecuentes. El Comité Internacional de la Cruz Roja (CICR) ha documentado nada menos que 2.398 incidentes entre enero de 2012 y diciembre de 2014, llegando a la conclusión de que más del 50 por ciento de ellos se produjeron dentro o en las proximidades de instalaciones de salud, que un total de 1.134 profesionales fueron amenazados u obligados a violar la ética médica o a prestar atención en forma gratuita y que más de 700 vehículos sanitarios fueron atacados u obstruidos directa o indirectamente[135].

Estos datos nos llevan a la inequívoca conclusión de que también en los conflictos más modernos, pacientes y profesionales se ven sometidos a las tensiones del momento, los caprichos de quienes dirigen los conflictos y hasta los odios y las ansias de venganza de los combatientes, que no dudan en violar los convenios internacionales si con ello obtienen un beneficio.

Aun así, el progreso que ha supuesto la Convención de Ginebra es mayúsculo. En un momento de inestabilidad como el actual, en que la amenaza de destrucción se cierne sobre el modo de vida occidental, los convenios son la garantía de la protección de los heridos y de quienes les asisten. Son por tanto una de las piedras angulares sobre las que gira el Derecho Internacional Humanitario (DIH), y ello con independencia de que, con posterioridad, la ONU haya seguido profundizando en la regulación de las crisis humanitarias con la elaboración de convenios no exclusivamente aplicables a los

---

[134] COMITÉ INTERNACIONAL DE LA CRUZ ROJA: *Colombia: situación humanitaria.* Acción 2014 y perspectivas 2015. Pág. 21.

[135] COMITÉ INTERNACIONAL DE LA CRUZ ROJA: *Boletín Asistencia de salud en peligro.* Enero-junio 2015. Pág. 3.

conflictos armados, como los relativos al genocidio, la tortura, los mercenarios o la protección de los niños, así como resoluciones sobre temas relacionados con ellos, como la persecución de personas que hayan cometido crímenes de guerra y contra la humanidad, prohibición de usar represalias armadas contra civiles, de usar armas químicas y bacteriológicas o de uso de técnicas de modificación del medio ambiente con fines militares. Por eso, la convención sigue siendo el mejor instrumento jurídico para garantizar el respeto a quienes ya no son combatientes o a los que nunca han participado en las hostilidades[136].

---

[136] RAMÓN CHORNET, Consuelo: El 50 aniversario de los Convenios de Ginebra y los conflictos armados en un mundo inestable. En *Problemas actuales del Derecho Internacional Humanitario: V Jornadas de Derecho Internacional Humanitario.* Universidad de Valencia, pág. 176.

4. LA CONVENCIÓN DE GINEBRA

Como ya hemos visto, el Derecho Internacional viene ocupándose desde antiguo de la atención a heridos y enfermos en combate. Con ello, como dicen Kalshoven y Zegveld, no se ha pretendido nunca hacer de la guerra una actividad de buen tono, sino mitigar el sufrimiento que causa, impidiendo que las partes en un conflicto armado actúen con una crueldad ciega e implacable, y proporcionando protección a quienes más lo necesitan, sin que por ello la guerra deje de seguir siendo el fenómeno aterrador que siempre ha sido[137].

Y entre esos instrumentos de la comunidad internacional está la Convención de Ginebra. Herederos de los tratados bilaterales para la protección de heridos del siglo XVIII, los Convenios de Ginebra surgieron a iniciativa del Comité Internacional de Socorros a los Militares Heridos o Comité de los Cinco, que más tarde se convertiría en el actual Comité Internacional de la Cruz Roja (CICR), que promovió que el Gobierno suizo convocara la primera conferencia internacional, a la que asistieron 16 países. En esa primera conferencia, celebrada en 1864, se aprobó el convenio para la mejora de la condición de los heridos y enfermos de los ejércitos en campaña, que es el punto de partida del Derecho de Ginebra para la protección a las víctimas, que ha tenido tanto recorrido y tanto ha hecho por la supervivencia de los que caen heridos en los campos de batalla y por el reconocimiento de quienes se dedican a salvarlos de una muerte segura.

---

[137] KALSHOVEN, Frits y ZEGVELD, Liesbeth: *Restricciones en la conducción de la guerra. Introducción al derecho internacional humanitario*, pág. 12.

En sus diez artículos, el Convenio de 1864 fija con toda claridad el estatuto jurídico de la asistencia humanitaria, compuesto por normas permanentes escritas, de carácter universal y abiertas a todos los Estados, que básicamente proclaman la obligación de prodigar cuidados a todos los militares heridos y enfermos sin discriminación, así como el respeto al personal, vehículos, material y equipamientos sanitarios, a través de una identificación (Cruz Roja). Igualmente, el Convenio introdujo los principios de humanidad, imparcialidad e inviolabilidad de personal e instalaciones sanitarias.

Al Convenio de 1864 le siguió otro aprobado en 1906 para mejorar la suerte de los heridos y enfermos de los ejércitos en campaña, que abundando en sus objetivos amplió el ámbito de actuación a los militares y las demás personas agregadas oficialmente a los ejércitos, incluyendo por tanto a los civiles al servicio de la administración militar. Por su parte, la Segunda Conferencia de Paz, celebrada en La Haya al año siguiente, aprobó otro convenio para adaptar a la guerra marítima los principios del Convenio de Ginebra de 1906[138].

Tras la Primera Guerra Mundial las organizaciones humanitarias, con la Cruz Roja al frente, pusieron de manifiesto la necesidad de reformar los convenios para resolver los problemas asistenciales que aún latían y que ya concretaban en la asistencia a prisioneros, civiles y víctimas de conflictos internos o guerras civiles. Fruto de todo ello, en 1929 se aprobaron nuevas versiones de los dos Convenios existentes, suscribiéndose uno nuevo para mejorar la atención a los prisioneros de guerra. La protección a civiles quedó en puertas precisamente por el estallido de la Segunda Guerra Mundial, cuyos efectos conmocionaron al mundo de tal manera que en 1949 se aprobaron los Convenios en la formulación que hoy conocemos, añadiéndose el cuarto para la protección debida de civiles en tiempo de guerra.

Los cuatro convenios se completan con tres Protocolos Adicionales, dos sobre protección a víctimas y un tercero sobre adición de un nuevo signo distintivo.

La Convención de Ginebra forma con la de La Haya un cuerpo de Derecho, el Derecho de la Guerra, que en los años 50 del pasado siglo cambió su denominación por la más amplia de Derecho de los Conflictos Armados, que es el conjunto de normas internacionales e internas que tienen por objeto proteger a las víctimas de las crisis internas o externas que cursan con violencia, dando así al concepto un ámbito de aplicación más extenso que el de la guerra.

Hoy día se le ha dado una vuelta más, y ya se habla de Derecho Internacional Humanitario (DIH), de ámbito es mucho más extenso que el de los conflictos, tanto que se confunde con los derechos humanos, y que comprende

---

[138] ABRISKETA, Joana: *Derechos humanos u acción humanitaria*. Alberdania S. L., págs. 46-48.

desde la asistencia a las víctimas de guerras a las necesitadas de ayuda por causas distintas a confrontaciones armadas como catástrofes, epidemias, etc. En ambos casos, se trata de normas jurídicas inspiradas en el sentimiento de humanidad y en la protección de la persona.

De esta forma, el DIH dicta normas para la protección de las víctimas de los conflictos armados y la regulación de los métodos y medios de combate, articulándose en dos ramas distintas pero complementarias: el Derecho de Ginebra, cuyo objetivo es proteger a las personas que no participan o han dejado de participar en las hostilidades, y el Derecho de La Haya, por el que se determinan los derechos y las obligaciones de los beligerantes en la conducción de las operaciones militares y los límites a la elección de los medios para perjudicar al enemigo.

Así pues, puede decirse que el DIH tiene un triple objetivo:
— Protección de las personas: heridos, enfermos, civiles, personal sanitario, religioso, periodistas.
— Restricción de uso de determinadas armas, métodos y tácticas militares.
— Protección de bienes sin interés militar, especialmente culturales y religiosos.

4.1. LOS CONVENIOS Y PROTOCOLOS ADICIONALES

4.1.1. *I Convenio de 12 de agosto de 1949 para aliviar la suerte que corren los heridos y los enfermos de las Fuerzas Armadas en campaña*

Es la cuarta versión del Convenio de 1864 y se dirige a proteger a las víctimas militares de los conflictos mediante su asistencia sanitaria y humanitaria sin distinción de bando o de empleo militar y en condiciones dignas.

Se aplica en caso de guerra declarada o de cualquier otro conflicto armado que surja entre las partes contendientes, aunque una de ellas no haya reconocido el estado de guerra, y en caso de ocupación total o parcial del territorio, haya o no resistencia.

Con carácter general, el Convenio determina que los miembros de las Fuerzas Armadas que estén heridos o enfermos tienen que ser respetados y protegidos en todas las circunstancias sin distinción de nacionalidad, prohibiendo los atentados contra la vida y la integridad corporal, la toma de rehenes, los atentados contra la dignidad personal, la tortura, el abandono premeditado, las condenas dictadas y las ejecuciones sin previo juicio ante tribunal legítimo y con garantías judiciales. Los heridos y los enfermos serán recogidos y asistidos, puntualizándose además los datos que han de proporcionarse acerca de los heridos capturados, así como los deberes para con los muertos.

El mismo respeto alcanza a personal e instalaciones sanitarias protegidas por el símbolo de la Cruz Roja sobre fondo blanco como signo de inmunidad, así como a los habitantes y a sociedades de socorro que intervengan en el conflicto asistiendo a heridos y enfermos. En lo relativo al material sanitario, es significativo señalar que el Tratado reconoce que las aeronaves sanitarias puedan sobrevolar los países neutrales. Asimismo, tiene dos anexos que contienen un proyecto de acuerdo sobre las zonas y las localidades sanitarias y un modelo de tarjeta de identidad para el personal médico y religioso.

Además, en todos los conflictos cada parte puede nombrar una potencia protectora o un organismo que ofrezca garantías de imparcialidad, para ocuparse de salvaguardar sus intereses.

El Convenio, pues, mantiene los principios fundamentales de las versiones anteriores, aunque añadiendo puntualizaciones en la práctica totalidad de su contenido, principalmente para adaptar sus prescripciones a la guerra moderna[139].

4.1.2. *II Convenio de 12 de agosto de 1949 para aliviar la suerte que corren los heridos, los enfermos y los náufragos de las Fuerzas Armadas en el mar*

El Convenio es la revisión y actualización del X Convenio de La Haya de 1907 y supone la adaptación del I Convenio a la guerra marítima. Con sus mismos principios, protege a las mismas personas, aunque reconoce una nueva categoría de víctima que añade a la de herido y enfermo, el náufrago.

La primera nota característica que encontramos es que, aunque con carácter general se aplica a militares, el artículo 13 extiende sus beneficios a las tripulaciones de la marina mercante en aquello que les que sea más favorable, es decir, cuando sus disposiciones específicas se quedan más cortas que el convenio.

Otra nota específica es la regulación de los buques hospitales y otras embarcaciones de socorro, que son navíos dedicados exclusivamente a labores de atención a heridos, enfermos y náufragos, sin distinción de nacionalidad. No pueden estorbar los movimientos de los combatientes y tampoco pueden ser utilizados con finalidad militar. Durante y tras el combate actuarán por su cuenta y riesgo. Todos han de estar pintados de blanco en sus superficies exteriores y llevarán una o varias cruces rojas oscuras en cada lado del casco y en

---

[139] COMITÉ INTERNACIONAL CRUZ ROJA: *Los convenios de Ginebra del 12 de agosto de 1949*. CICR, págs. 23-24.

las superficies horizontales para garantizar la mejor visibilidad desde el aire y en el mar. Los barcos hospitales y sus botes salvavidas izarán su bandera nacional y si son neutrales la bandera de la parte en conflicto cuya dirección hayan aceptado, y en el palo mayor, lo más arriba posible, una bandera blanca con la cruz roja. Además, cuando estén en un puerto que caiga en poder del enemigo, tendrán autorización para salir de él y permanecer en puerto neutral[140].

Las partes en conflicto tendrán derecho a controlar y visitar los barcos hospitales y embarcaciones de salvamento, podrán rechazar su cooperación, ordenarles que se alejen, imponerles un rumbo determinado, reglamentar el empleo de su radio, retenerlos excepcionalmente y designar provisionalmente un comisario a bordo. Ahora bien, su protección no puede cesar más que si se utilizan para cometer, fuera de sus deberes humanitarios, actos perjudiciales para el enemigo, y siempre previa intimación que fije un plazo razonable.

Como curiosidad diremos que el buque hospital más grande del mundo es en la actualidad el USNS Comfort de la Armada estadounidense, que dispone de 1.000 camas y puede atender a 1.500 pacientes diarios. Dispone de instalaciones quirúrgicas con 12 quirófanos, 20 camas de reanimación y UVI, cirugías general, especializadas y plástica, pudiendo realizar 230 intervenciones diarias. Entre los servicios no quirúrgicos destacan medicina interna, psicología, dermatología o terapia respiratoria. Como servicios de apoyo tiene radiología, farmacia, prótesis, fabricación de lentes, laboratorio y banco de sangre. Finalmente dispone de secciones especiales de unidad de quemados, guerra química y bacteriológica e incluso reparación de equipos médicos[141].

En cuanto al personal sanitario su regulación es más liberal que el de tierra. La tripulación de los barcos hospitales no puede ser capturada ni retenida y debe ser inmediatamente desembarcada. Finalmente, al igual que el I Convenio contiene prescripciones para la represión de abusos e infracciones[142].

4.1.3. *III Convenio de 12 de agosto de 1949 sobre trato debido a los prisioneros de guerra*

El actual Convenio de Ginebra es bastante más extenso que sus antecesores, precisamente por la influencia que la Convención ha tenido en el desarrollo del derecho de los cautivos en la guerra moderna.

---

[140]   Disponible en: http://www.enciclopedia-juridica.biz14.com/d/buques-hospitales/buques-hospitales.htm.

[141]   Disponible en: http://www.infodefensa.com/latam/2015/07/08/noticia-buque-hospital-comfort-grande-mundo-visi-ta- colombia.html.

[142]   CICR: *Los convenios de Ginebra del 12 de agosto de 1949*. CICR, págs. 25-26.

Desde la primera versión de 1929 a la de hoy, se ha logrado variar la concepción del prisionero, que ya no es visto ni tratado como un delincuente al que haya que recluir en un centro de internamiento, sino como un enemigo incapaz de volver a tomar parte en el combate, que debe ser liberado finalizadas las hostilidades y que tiene que ser respetado y tratado humanamente mientras esté bajo custodia de la otra parte contendiente.

Esta reflexión, teniendo tan cercanos los ejemplos de Irak, Libia, el Estado islámico o incluso el mismo Guantánamo, puede parecer a muchos un sarcasmo, pero lo cierto es que, a pesar de esos casos, el Convenio de 1929 primero y el actual de 1949 después han contribuido eficazmente a la protección de millones de prisioneros de guerra. Precisamente lo que se trata de evitar son sucesos como los aludidos, que deben ser condenados sin ambages por la comunidad internacional. Y es que las graves violaciones a que nos referimos han sido visibles precisamente por la aplicación del actual Convenio.

Respecto a su contenido, el Convenio define en primer lugar las categorías de personas con derecho al trato de prisioneros de guerra, así como el régimen de cautiverio propiamente dicho, que comienza con una descripción de cómo debe ser el interrogatorio de los prisioneros, suerte que debe correr su propiedad y evacuación. Igualmente el Convenio regula las condiciones de vida en los campamentos, modo de internamiento, alojamiento, alimentación, vestuario, higiene y asistencia médica, personal médico y religioso retenido para asistir a los prisioneros, prácticas religiosas y actividades intelectuales y físicas. El trabajo de los prisioneros es objeto de especial atención, como lo es todo lo relativo a correspondencia y socorros que se les envíen.

Asimismo contiene unas pequeñas normas de procedimiento penal y disciplinario y una referencia exhaustiva a los diferentes modos de finalizar el cautiverio, repatriación, hospitalización en país neutral e incluso fallecimiento.

Por último, el Convenio establece la obligación de abrir los campamentos de prisioneros al control de organismos neutrales y de difundir ampliamente el conocimiento de sus prescripciones, completándose el texto con cinco anexos que regulan, entre otras cosas, la repatriación directa y hospitalización en país neutral de los prisioneros de guerra heridos y enfermos o las comisiones médicas mixtas[143].

---

143 *Opus cit.* Págs. 27-30.

4.1.4. *IV Convenio de 12 de agosto de 1949 relativo a la protección debida a las personas civiles en tiempo de guerra*

Aunque no se trata de un texto innovador propiamente dicho, por cuanto que la doctrina ya se había pronunciado suficientemente acerca de la protección de civiles, el Convenio supone un progreso importante del derecho internacional escrito en materia humanitaria. No tiene por tanto el Convenio la pretensión de introducir ideas nuevas en el derecho de gentes, sino solamente garantizar, incluso en lo más enconado de la guerra, el respeto ya admitido de la dignidad de la persona humana.

Salvo una breve alusión a los espías en el Convenio de 1907, hasta este de 1949 la Convención no se había pronunciado expresamente sobre la protección de civiles, sin duda por entender que quedaban fuera de la guerra. Los horribles crímenes nazis demostraron que no era así y que los civiles precisaban de una protección específica que fuera más allá de consignar la obligación por el ocupante de tomar «cuantas medidas dependan de él a fin de restablecer y garantizar, en la medida de lo posible, el orden y la vida pública, respetando, salvo en casos de imposibilidad absoluta, las leyes vigentes del país» a que se refería el texto aludido.

Ahora bien, no sólo los crímenes de guerra hacían necesaria la protección de los civiles. El Comité Internacional de la Cruz Roja venía pidiéndola en sus conferencias desde 1921, en base a que tanto el desarrollo de los armamentos, como la considerable extensión del radio de acción de los ejércitos por mor de los inventos que venían utilizándose en los conflictos, demostraban que de hecho las personas civiles están dentro de la guerra y expuestas a los mismos peligros que los militares. Y ello sin olvidar que las deportaciones, evacuaciones, confinamientos y pillajes suponían por lo general el sistemático desprecio de los derechos individuales de los civiles afectados.

El estallido de la Segunda Guerra Mundial impidió la aprobación de la nueva norma, que sin embargo vio la luz acabada la contienda junto con la revisión de los demás convenios.

Este cuarto Convenio se inspira «en los principios eternos del derecho, que son el fundamento al mismo tiempo de la salvaguardia de la civilización», según se decía en un proyecto de Preámbulo que finalmente no se incluyó en el texto final para continuar la misma estructura que los tres anteriores, que no lo tienen. Su finalidad es, según el mismo texto, «garantizar el respeto de la dignidad y del valor de la persona humana, descartando todo atentado contra los derechos que, por esencia, le son inherentes, y contra las libertades sin las cuales pierde su razón de ser». En base a ello prohíbe principalmente:

- Los atentados contra la vida y la integridad corporal de los seres humanos, en particular las torturas, los suplicios y los tratos crueles.
- La toma de rehenes.
- Las deportaciones.
- Los atentados contra la dignidad de las personas, especialmente los tratos humillantes y degradantes, así como los tratos discriminatorios fundados en diferencias de raza, de color, de nacionalidad, de religión o de creencias, de sexo, de nacimiento o de fortuna.
- Las sentencias dictadas y las ejecuciones realizadas sin juicio previo por un tribunal legítimamente instituido, con las garantías judiciales reconocidas como indispensables por los pueblos civilizados[144].

En cuanto al ámbito personal de protección debe decirse que mientras el artículo 4 deja fuera a los súbditos de un Estado que no haya ratificado el Convenio y a los Estados neutrales, posteriormente en el Título II se rebasan esos límites, afirmándose que la protección alcanza a toda la población en su conjunto. En todo caso quedan fuera los heridos, enfermos o náufragos militares y los prisioneros de guerra, por ser objeto de los tres Convenios anteriores.

Lo mismo sucede con la designación de zonas y localidades sanitarias y de seguridad y zonas neutralizadas, con la protección de los hospitales civiles, los niños o el intercambio de noticias familiares. En todos estos casos, las medidas protectoras tienen un alcance absolutamente general.

Respecto al estatuto y trato de las personas protegidas, se prohíben los malos tratos corporales, castigos colectivos, terrorismo, pillaje, represalias y toma de rehenes. Por su parte los extranjeros tienen, entre otras cosas, derecho a salir del territorio en conflicto.

Igualmente el Convenio recoge el régimen de los territorios ocupados y el del internamiento de civiles, esto último regulado en consonancia e incluso con la misma estructura que lo previsto en el III Convenio para los prisioneros de guerra, que incluye incluso la existencia de una agencia central de información similar a la de prisioneros de guerra. El Título IV (arts. 142 a 159 y último) se refiere a la aplicación del Convenio.

Finalmente el Convenio se completa con tres anexos.

---

[144] *Opus cit.* Pág. 33.

Además, la conferencia adoptó once resoluciones que quedaron fuera de él, pero regulan aspectos complementarios o instan al Comité Internacional de la Cruz Roja a hacer determinadas propuestas. Termina con el reconocimiento de la necesidad de que esta institución tenga un apoyo financiero estable y regular.

4.1.5. *Los Protocolos Adicionales*

Tras la aprobación de los *Convenios* de 1949, el incremento de conflictos armados tanto internacionales como internos ha sido muy importante, al igual que lo han sido los cambios en la conducción de las hostilidades y en la atención a las víctimas. Por eso precisamente se hacía necesaria su revisión y a tal efecto el Comité Internacional de la Cruz Roja y el Gobierno suizo convocaron la Conferencia diplomática sobre la reafirmación y el desarrollo del Derecho Internacional Humanitario aplicable en los conflictos armados, la cual aprobó en 1977 la actualización de los Tratados mediante la técnica jurídica del Protocolo Adicional. Concretamente fueron dos los Protocolos aprobados, el primero para complementar las normas aplicables a conflictos armados de carácter internacional y el segundo, a conflictos armados internos.

El Protocolo I refuerza en primer lugar la prohibición de ataque a la población y bienes civiles, autorizando sólo las agresiones a objetivos militares, entendiendo por tales los lugares que puedan representar una ventaja para el enemigo.

En este contexto se declaran protegidos los bienes indispensables para la supervivencia como lo son las zonas agrícolas y de ganado, reservas de agua potable, cosechas, obras de riego, así como instalaciones consideradas como potencialmente peligrosas, como las centrales eléctricas y nucleares, los diques y los embalses.

Del mismo modo, establece la protección de determinadas zonas, calificándolas como localidades no defendidas o abiertas a la ocupación, normalmente para proteger su patrimonio cultural, zonas desmilitarizadas, que son aquellas que las partes acuerdan expresamente, zonas y localidades sanitarias, que deben encontrarse fuera de las zonas de combate, y zonas neutralizadas.

En cuanto a las personas, se amplía y refuerza la situación de las que están en poder de una de las partes del conflicto. Se dota de especial protección a mujeres y niños, concretándose que en ellos se evitará la pena de muerte. También se trata la protección reforzada de los periodistas en misión peligrosa, a los que extiende los beneficios que otorgan los convenios al personal civil[145].

Respecto al personal, unidades e instalaciones sanitarias, el Protocolo I recoge la moderna acepción de la misión médica, ampliando su protección. En este apartado es significativo el avance en materia de transporte sanitario, dado que extiende al civil la misma protección que ya existía para el transporte sanitario militar y completa la señalización que deben tener las ambulancias en tierra, que habrán de añadir una luz azul con destellos y señal de radio precedida por una sintonía de prioridad. Para el transporte aéreo y marítimo exige que dispongan de radar secundario.

Sobre las armas no convencionales, el Protocolo restringe el uso de las armas cuyos fragmentos no sean localizables en el cuerpo humano e impidan la curación de las heridas, así como el uso de minas, trampas explosivas y armas incendiarias.

Por último, respecto de las personas desaparecidas y fallecidas, el Protocolo I facilita la búsqueda e identificación en caso de muerte, protección, conservación de las sepulturas, exhumación o repatriación de los restos de personas que han perdido la vida[146].

El Protocolo II tiene por objeto la protección de las víctimas de conflictos armados de carácter no internacional, es decir, de conflictos internos, entendiendo por tales los que se producen entre las Fuerzas Armadas de un Estado y fuerzas armadas disidentes o grupos armados organizados que cuenten con disciplina interna, sean dirigidos por un mando responsable y ejerzan control efectivo en parte del territorio de dicho Estado, siendo irrelevante que el Gobierno reconozca o no la existencia del mismo. No son pues conflictos armados a efectos del Protocolo las situaciones de tensiones internas o los disturbios interiores como motines o actos esporádicos y aislados de violencia[147].

El Protocolo II extiende los derechos de la Convención de Ginebra a las personas que no participan en las hostilidades o que hayan dejado de participar en ellas, con lo que exige y brinda asistencia a los heridos y enfermos, militares y civiles. A estos últimos exige, como en los conflictos internacionales, que se les guarde de los peligros inherentes a las operaciones militares[148].

---

[145]   CICR: *Comentario del Protocolo adicional I a los Convenios de Ginebra de 1949.* Plaza y Janés Editores, págs. 10 y ss.

[146]   ABRISKETA, Joana: *Derechos humanos y acción humanitaria.* Alberdania S. L., pág. 51.

[147]   CICR: *Comentario del Protocolo adicional I a los Convenios de Ginebra de 1949.* Plaza y Janés, págs. 8 y ss.

[148]   ABRISKETA, Joana: *Derechos humanos y acción humanitaria.* Alberdania S. L., pág. 52.

Así pues, el Protocolo II ha venido a desarrollar la convención para extender la protección a las víctimas de conflictos internos, que desde mediados del pasado siglo han proliferado peligrosamente, de manera que hoy día todos los damnificados por las guerras, civiles y militares, están protegidos por el paraguas del derecho internacional humanitario.

Para terminar la ampliación del Derecho de Ginebra, en el año 2005 se aprobó el Protocolo III, relativo a la aprobación de un signo distintivo adicional. El Protocolo Adicional de 1977 había reconocido como signos distintivos de protección la Cruz Roja, la Media Luna Roja, el León y el Sol Rojo, declarando que tales signos no tienen connotación alguna de índole religiosa, étnica, racial, regional o política. Y como para algunos de los Estados firmantes puede suponer una dificultad el uso de los mismos, el Protocolo III creó el llamado oficialmente «Emblema del Tercer Protocolo», mundialmente conocido como «Cristal Rojo», que no es más que un marco cuadrado rojo sobre fondo blanco.

El nuevo signo apenas si ha tenido utilización. Además, el que ha dejado de utilizarse es el León y el Sol Rojo, adoptado por Persia hasta el advenimiento de la República Islámica de Irán, que dejó de usarlo para adoptar la Media Luna Roja. Por el contrario algunos países utilizan signos que no están reconocidos por la Convención, como la Estrella de David Roja en Israel[149].

4.2. EL ESTATUTO DE PROTECCIÓN A HERIDOS Y ENFERMOS. CATÁLOGO DE DERECHOS

Las víctimas de un conflicto armado son muy variadas y así lo considera la Convención de Ginebra, que confiere su protección a los no combatientes, concretando este grupo humano por exclusión. Así pues, para distinguirlos hemos de definir primero quiénes son precisamente los combatientes, que a los efectos de los Tratados son los miembros de fuerzas organizadas con mando responsable y disciplina interna que les obligue al cumplimiento del Derecho de la Guerra. En ellos se incluyen los miembros de las Fuerzas Armadas de las partes en conflicto, salvo el personal religioso y sanitario, los miembros de otras fuerzas armadas, los de milicias y otros cuerpos sujetos a la disciplina militar y los de movimientos de resistencia siempre que actúen en territorio ocupado. En todos, la condición indispensable es la de visibilidad o distinción

[149] Disponible en https://www.icrc.org/spa/resources/documents/misc/protocolo-iii.htm.

que se recoge en el art. 44 del Primer Protocolo y que implica la obligación inexcusable de distinguirse de la población civil, de lo que sólo están dispensados en situaciones excepcionales como operar en territorio ocupado, conflicto asimétrico o labores de contraguerrilla, en las cuales basta con que porten armas abiertamente.

No tienen la consideración de combatientes y por tanto están excluidos del ámbito de protección de los Convenios los espías, mercenarios, francotiradores y combatientes ilegítimos. Todos ellos se sitúan por decisión propia en tramos injustos de la guerra, realizando trabajos que se apartan de la guerra convencional. Y, sobre todo, no hacen ostentación de su condición de combatientes ya que ni llevan distintivos o uniforme ni portan armas abiertamente. Respecto a los francotiradores, son el ejemplo más claro de utilización indiscriminada de la violencia en un conflicto armado. En mente de todos están las imágenes de los francotiradores de Sarajevo. Ni siquiera en una guerra convencional pueden permitirse este tipo de actos, que tienen que calificarse como terroristas.

La doctrina mantiene que los Convenios de Ginebra, junto a los de La Haya, configuran un auténtico Estatuto del combatiente, al que confieren unos derechos y deberes no sólo sanitarios o asistenciales. Son los sujetos activos y pasivos de la acción bélica y, por ende, cuando son aprehendidos no pueden ser castigados a causa de los resultados lesivos que hayan ocasionado en las personas o en las cosas y pasan a ser considerados prisioneros de guerra inmediatamente.

Precisamente la participación activa en los conflictos armados y la ausencia de responsabilidad por esa participación, siempre naturalmente que se ajuste a las prescripciones del Derecho de la Guerra, constituyen el núcleo fundamental de los derechos del combatiente. A su vez, mientras combaten se benefician del principio de limitación de medios y métodos, que prohíbe causarles males superfluos y sufrimientos innecesarios, y si caen en poder del enemigo, la Convención habla eufemísticamente de Parte Adversa, tienen derecho a ser tratados como prisioneros de guerra. Y, por último, tienen una protección especial cuando caen muertos o heridos, o si enferman o naufragan.

Por su parte, las personas que no se incluyan en alguno de los grupos considerados combatientes tienen la consideración de población civil y son sujetos de la protección que les confieren los Convenios, particularmente el IV y los dos Protocolos Adicionales. Gozan además de especial protección las mujeres, los niños, ancianos, refugiados y apátridas, heridos, enfermos y náufragos, prisioneros de guerra, muertos y desaparecidos. Y por su misión, los sanitarios, religiosos y periodistas.

Sobre los muertos, decir que los cadáveres están sometidos a un importante riesgo, precisamente porque algunas partes en conflicto suelen tener especial interés en ocultarlos y es relativamente sencillo hacerlo, de ahí que los Convenios se preocupen de ellos especialmente, máxime cuando todos los ejércitos del mundo muestran especial respeto a quienes han caído por su país, con lo que cualquier agresión les indigna sobremanera.

Sentado lo anterior, hemos de centrarnos en la asistencia sanitaria que se presta en un conflicto. Como dice la profesora García Mangas, una de las razones históricas del nacimiento de las normas humanitarias ha sido precisamente la asistencia a heridos y enfermos y a ello se dedican los Convenios con especial interés desde su primera versión[150]. Sus derechos, los de las personas que necesitan asistencia sanitaria, fueron el primer punto de atención de la comunidad internacional y deben seguir siendo el objetivo prioritario, porque sin ello sería difícil creer en el derecho humanitario. Es más, los propios ejércitos necesitan saber que sus miembros caídos en combate serán respetados y atendidos como merece su esfuerzo, porque ello incide incluso en la fuerza que cada parte beligerante exhiba en la batalla.

Mucho se ha escrito sobre las notas características de la asistencia sanitaria en campaña. Ahora bien, entre todas destaca en primer lugar el que los derechos de los heridos y enfermos son en su mayor parte correlativos a los deberes del personal sanitario o de los propios Estados en conflicto.

Los principales responsables de que los heridos tengan una asistencia sanitaria adecuada son los médicos y personal auxiliar y a ellos les compete no sólo prestar su servicio en las condiciones adecuadas, sino también exigir a las autoridades de las potencias beligerantes el cumplimiento de las prescripciones del derecho humanitario y la aportación de los recursos personales y materiales necesarios para ello. Se estructuran por tanto como típicos derechos-deberes, que unos pueden invocar y otros están obligados a respetar.

En cuanto al contenido concreto del catálogo, el primer derecho que debe figurar es el derecho a la vida de todo herido o enfermo. Si el homicidio intencional está prohibido en todos los protegidos, en el caso de los heridos y enfermos tiene un plus de protección precisamente por la vulnerabilidad que supone su estado de salud, sus dolencias y su grado de discapacidad.

A este derecho debe unirse el de la conservación de la integridad física y moral que presenten, lo que conlleva la prohibición de causarles deliberadamente grandes sufrimientos o de agravar su integridad física o estado de salud.

---

[150] GARCÍA MANGAS, Araceli: *Conflictos armados internos y derecho internacional humanitario*. Ediciones Universidad de Salamanca, pág. 103.

Por otra parte, los heridos tienen derecho a su búsqueda, localización, recogida y puesta en lugares protegidos, lo cual implica que todos los contendientes deben tomar sin tardanza todas las medidas posibles para buscar y recoger a heridos y enfermos. Esta obligación incluso les vincula a concertar acuerdos para recogerlos y canjearlos.

Igualmente los heridos y enfermos tienen derecho a ser protegidos contra el pillaje y los malos tratos, así como a recibir los cuidados médicos adecuados, en la medida de lo posible y en el plazo más breve.

El derecho a recibir los cuidados y tratamientos que precisen debe ejercerse sin discriminación, lo que implica que la asistencia a heridos y enfermos no puede hacerse sin más distinción que la derivada de su estado de salud. La asistencia prioritaria, por razón de graduación o el ejército al que se pertenezca, es discriminatoria y su práctica está expresamente prohibida.

El único criterio válido para tratar a los heridos es el de la urgencia médica. La Asociación Médica Mundial, en sus regulaciones en tiempo de conflicto armado, dice que la atención a heridos y enfermos debe ser eficaz, imparcial y sin referencia a discriminación injusta alguna, incluso si los pacientes son enemigos[151].

Por último, los contendientes tienen derecho a no ser sometidos a pruebas, estudios, tratamientos o experimentos que no estén indicados por su estado de salud.

En resumen, Otero Solana concreta el Estatuto de los heridos y enfermos en las siguientes prescripciones:

— Respeto y protección en toda circunstancia.
— Trato humanitario sin distinción por razón de sexo, raza, color, idioma, nacionalidad, creencia religiosa, opinión política, fortuna u otros.
— La urgencia médica como única prioridad admitida, sin distinción de parte.
— Prohibición de atentar contra su vida, rematarlos o exterminarlos, someterlos a tortura, experimentar —aun con su consentimiento—, no

---

[151] ASOCIACIÓN MÉDICA MUNDIAL: *Regulaciones en tiempo de conflicto armado.* Adoptadas por la 10.ª Asamblea Médica Mundial La Habana, Cuba, octubre 1956 y editadas por la 11.ª Asamblea Médica Mundial Estambul, Turquía, octubre 1957 y enmendadas por la 35.ª Asamblea Médica Mundial Venecia, Italia, octubre 1983 y la 55.ª Asamblea General de la AMM, Tokio, 2004 y revisada su redacción por la 173.ª Sesión del Consejo, Divonne-les-Bains, Francia, mayo 2006 y enmendada por la 63.ª Asamblea General de la AMM, Bangkok, Tailandia, octubre 2012. *Manual de Políticas de la AMM.* AMM, págs. 100-103.

atenderlos médicamente o exponerlos intencionadamente a contagio o infección.

— Actuar contra toda norma médica habitual para casos similares[152].

Queda por determinar si los heridos y enfermos en conflicto armados ostentan, además de los citados, los derechos generales de todo paciente. A este respecto la Asociación Médica Mundial entiende que la ética médica en guerra no tiene por qué ser distinta de la de los tiempos de paz y por tanto los derechos de los pacientes deben ser similares. Ahora bien, tampoco puede olvidarse el contexto en que se desenvuelve la asistencia sanitaria y que no es lo mismo ejercerla en un escenario absolutamente favorable, con todos los medios técnicos, humanos y burocráticos al alcance de la mano, que en un entorno precario, sujeto a tensiones externas, muchas veces extremas, donde los medios son limitados y las situaciones de urgencia vital más que habituales, cotidianas.

En estas situaciones las más de las veces apelar, por ejemplo, al derecho a una asistencia científica y humana de calidad como parte de los derechos del paciente es más un deseo que una realidad. Los actuales medios técnicos permiten que en los conflictos armados en los que participan países desarrollados existan hospitales relativamente cercanos a las zonas de combate y medios de transporte suficientes para trasladar a los heridos rápida y eficazmente. Pero no siempre es así. El despliegue sanitario que, por ejemplo, se ha llevado a cabo en Afganistán por la fuerza multinacional desgraciadamente no es lo habitual en el grueso de conflictos armados actuales, en los que es más normal encontrarse con situaciones en las que los médicos han de realizar su trabajo de forma precaria, muy alejada de la sofisticación de los modernos hospitales de campaña que instalan los ejércitos más avanzados para asistir a pacientes civiles y militares en zonas de conflicto.

Y en ese entorno lo mismo podemos decir de la confidencialidad de los datos y el respeto a la intimidad. El tratamiento de los datos sanitarios requiere de unos medios técnicos que puede que no estén disponibles en zonas de operaciones, con lo que la preservación de ellos deberá realizarse teniendo en cuenta esos parámetros, aunque siempre procurando que la confidencialidad sea la máxima que permitan las circunstancias. E igualmente puede decirse del derecho de acceso al historial clínico.

---

[152] OTERO SOLANA, Vicente: *La normativa de protección y actuación del personal y medios sanitarios en los conflictos armados*. Ministerio de Defensa, pág. 25.

Los derechos que deben ser respetados en cualquier caso y sin ninguna diferencia con los tiempos de paz son los derechos de información, el derecho a decidir y el de respeto a las convicciones religiosas, culturales y morales. En tiempo de guerra como en el de paz, el paciente debe recibir información veraz, adecuada y suficiente, tiene que poder decidir sobre los tratamientos y prestar el consentimiento informado y, por supuesto, a que sus convicciones sean respetadas en todo caso.

Sentado pues el catálogo de derechos, la pregunta que debemos hacernos a continuación es quién está obligado a respetarlos y qué medios existen para asegurar su cumplimiento, porque para que estemos ante un auténtico Estatuto debe existir alguna fórmula que garantice su exigibilidad.

Pues bien, la respuesta es clara. En primer lugar todos los combatientes, cualquiera que sea su graduación, están obligados a conocer y respetar los derechos de heridos y enfermos militares y civiles. Igualmente, todos los médicos y personal sanitario están obligados a cumplirlos. Y, por último, absolutamente todas las autoridades deben procurar que sus tropas estén instruidas en los preceptos de protección a heridos y enfermos y además fomentar en ellos un espíritu de respeto al herido en toda circunstancia, lo que indefectiblemente nos lleva a la necesidad de programar en tiempos de paz actividades formativas para las tropas que incluyan este temor.

En cuanto a su exigibilidad, los países firmantes tienen obligación de aprobar normas para castigar las infracciones. Concretamente en España las infracciones a los derechos que hemos mencionado están tipificadas como delitos en el Código Penal Ordinario y el Código Penal Militar. En el primero se tipifican los delitos contra las personas y bienes en caso de conflicto armado, los de genocidio y los de lesa humanidad cometidos por cualquier persona, mientras que en el segundo se recogen prácticamente los mismos ilícitos cuando son cometidos por militares, para los cuales se prevén penas más graves. Con independencia de ello, esas mismas infracciones están calificadas por los Convenios y Protocolos Adicionales como crímenes de guerra, y los países firmantes tienen obligación de poner a las personas que los cometan a disposición de sus Tribunales o de la Corte Penal Internacional de La Haya.

4.3. EL ESTATUTO DE LOS PROFESIONALES SANITARIOS

Dice Rodríguez Villasante que la protección que los Convenios de Ginebra prestan a los profesionales sanitarios en los conflictos armados es esencial para la supervivencia de los heridos y enfermos, porque para proteger realmente a las víctimas de la guerra es necesario contar con personal y medios adecuados[153].

Por esta razón los profesionales sanitarios están dotados de un estatuto especial que les confiere unos derechos y obligaciones o deberes. Así pues, para abordar su estudio debemos comenzar concretando quiénes tienen esa consideración de personal sanitario, que según los Convenios son:

a) El personal sanitario militar y civil de cualquiera de las partes, dedicado a labores de búsqueda, recogida, trasporte, atención o tratamiento de los heridos, enfermos y náufragos militares o civiles.

b) El personal militar o civil de cualquiera de las partes, dedicado a la prevención de las enfermedades.

c) El personal de administración, de formaciones y establecimientos sanitarios, incluyendo personal técnico, conductores de ambulancias o personal de los buques hospitales y aeronaves sanitarias.

d) El personal sanitario del Comité Internacional de la Cruz Roja, de las Sociedades Nacionales de la Cruz Roja y de la Media Luna Roja u otras de socorro, reconocidas y autorizadas por las partes.

e) El personal sanitario de unidades o establecimientos puestos a disposición de las partes en conflicto por un Estado neutral, por una sociedad de socorro de un Estado neutral o por una organización internacional humanitaria imparcial.

f) El personal religioso perteneciente a las Fuerzas Armadas adscrito a los establecimientos sanitarios o sociedades de socorro[154].

Para su definición existen dos criterios: el funcional y el de pertenencia a organización sanitaria. Respecto al primero se consideran tales las personas dedicadas tanto al diagnóstico y tratamiento de heridos y enfermos, como a su búsqueda y recogida y aplicación de los primeros auxilios en las zonas de combate, el transporte sanitario desde la primera línea a los distintos escalones y en todas sus fases, o a la colaboración en actividades de medicina preventiva y administración de establecimientos y unidades sanitarias.

Por el criterio de pertenencia a organización, se consideran personal sanitario todos los miembros militares de los Cuerpos de Sanidad Militar, los

---

[153] RODRÍGUEZ VILLASANTE Y PRIETO, José Luis: La protección del «personal humanitario» por el Derecho Internacional Humanitario en los conflictos armados actuales. *Anuario de Acción Humanitaria*, 2010. Universidad de Deusto, pág. 45.

[154] *Opus cit.* Pág. 46.

trabajadores de buques hospitales civiles o militares, sociedades nacionales de Cruz Roja, servicios de protección, los adscritos a cualquier otro servicio sanitario reconocido (Médicos sin Fronteras, por ejemplo) o los asignados regular y únicamente al funcionamiento o administración de hospitales.

Todos ellos conforman la denominada Misión Médica, que comprende el conjunto de personas, instrumentos, vehículos, equipos e instalaciones, transitorias o permanentes, civiles o militares, fijas o móviles, de destino en exclusiva y necesarios para la administración, funcionamiento y prestación de servicios médico-asistenciales, en las áreas de prevención y promoción, atención, y rehabilitación, en el marco de un conflicto armado[155].

Desde estas premisas, para los Convenios las actividades sanitarias no se ciñen a la mera asistencia primaria de los heridos en campaña, sino que se extienden a cualquier cuidado médico que exija su estado. De Correo-Lugo entiende que a la propia atención médica se deben añadir todos los servicios humanitarios propios de la asistencia en salud, como programas de vacunación, control de fuentes de agua potable, etc. De ahí que la protección no alcance sólo al personal facultativo, sino que cubra a todas aquellas personas que de forma exclusiva están dedicadas a estas funciones sanitarias.

En cualquier caso, todos los militares con consideración de personal sanitario tienen los siguientes deberes en campaña:

— Deber de asistencia humanitaria (recoger y asistir a heridos y enfermos y no abandonarlos nunca).

— Deber de brindar tratamiento a heridos y enfermos, prevenir las enfermedades y desarrollar programas de rehabilitación.

— Deber de no discriminación (prohibición de distinciones no médicas). Este deber se prestará sin ninguna distinción de carácter desfavorable por motivo de raza, color, sexo, idioma, religión, etc.

— Deber de prioridad en la asistencia (la urgencia médica como criterio exclusivo de los Convenios).

— Deber de no clasificar para la atención por razones de parte del conflicto a la cual pertenece o por la graduación militar que ostente.

— Deber de no abandonar los heridos o enfermos.

— Deber de no someter a las personas a actos médicos que no estén indicados por su estado de salud ni realizar experimentos médicos, biológicos o científicos.

---

[155] DE CURREA-LUGO, Víctor: Generalidades del Derecho Internacional Humanitario. *Revista Heraldo Médico*, volumen XXIII, n.º 228. En encolombia.com/medicina/revistas-medicas/heraldo-medico/vol-2322801/ heraldo2322801generalidades/.

Además de estos deberes que se desprenden de la Convención, la Asociación Médica Mundial añade los siguientes:

- Deber de no infringir o ayudar a infringir el Derecho Internacional.
- Deber de no participar en hostilidades.
- Deber de recordar a las autoridades su obligación de buscar a los heridos y enfermos y asegurar el acceso a la atención médica sin discriminación injusta.
- Deber de no aprovechar la situación y vulnerabilidad de los heridos y enfermos para obtener ganancia financiera personal.
- Deber de considerar de forma especial la gran vulnerabilidad de las mujeres y niños en conflictos armados y otras situaciones de violencia y sus necesidades de salud específicas.
- Deber de respetar el derecho de la familia a conocer la situación y el paradero de un familiar desaparecido.
- Deber de prestar atención médica a toda persona hecha prisionera.
- Deber de defender las visitas regulares de los médicos a prisiones y a los prisioneros.
- Deber de denunciar y actuar, cuando sea posible, para poner término a dichas prácticas inescrupulosas o la distribución de materiales y medicamentos de mala calidad o falsificados.
- Deber de instar a las autoridades nacionales y organismos internacionales y regionales a la protección del personal de salud e infraestructuras sanitarias en conflictos armados y otras situaciones de violencia.
- Deber de informar a las autoridades del brote de cualquier enfermedad o trauma que se deba notificar.
- Deber de hacer todo lo posible para evitar represalias contra los heridos y los enfermos o la atención médica.

Y en particular los médicos deben:

- Negarse a obedecer una orden ilegal o contraria a la ética.
- Considerar cuidadosamente toda doble lealtad que pueda tener el médico y abordar este tema con colegas y cualquier autoridad.
- Denunciar torturas o trato cruel, inhumano o degradante.
- Reflejar y tratar de mejorar los estándares de atención apropiada a la situación.
- Informar a su superior apropiado del comportamiento contrario a la ética de un colega.

- Mantener registros de salud adecuados.
- Apoyar la sostenibilidad de la atención médica a civiles cuando esté alterada por el contexto.
- Informar a un comandante u otra autoridad apropiada si no se satisfacen las necesidades en salud[156].

Correlativamente, los Convenios y Protocolos Adicionales también recogen una serie de derechos para el personal sanitario. Son:

- Respeto y protección: los combatientes tienen obligación de no atacarlos y protegerlos.
- Derecho de acceso a los lugares donde sus servicios sean necesarios.
- Derecho a no ser sancionados por prestar sus servicios a un enemigo con arreglo a la ética y deontología médicas.
- Imposibilidad de inducción a realizar actos contrarios a la ética médica.
- Imposibilidad de inducción a facilitar información personal sobre heridos o enfermos.
- Exención de captura, con única posibilidad de retención para asistir a prisioneros de guerra, salvo en el caso de personal sanitario de Estado neutral, de Cruz Roja Internacional o de buques-hospitales, que han de ser devueltos de forma inmediata.

Estos derechos son irrenunciables y por tanto deben ser respetados por los Estados beligerantes.

El Estatuto se completa con la protección que los Convenios brindan a los establecimientos y unidades sanitarias, entendiendo por tales las formaciones militares y civiles, permanentes o temporales, organizadas con fines exclusivamente sanitarios. Comprenden pues, entre otros, los hospitales de todo tipo, centros de asistencia fijos o móviles, centros de medicina preventiva o depósitos de material sanitario y farmacéutico.

La protección se concreta en abstención de todo ataque, garantía de funcionamiento caso de caer en poder del enemigo, prestación de ayuda y suministros y limitación en el derecho de requisa.

Para que opere la protección es necesario que cumplan una serie de requisitos, cuales son no cometer actos de hostilidad, no cometer actos perjudiciales al enemigo, no utilizar las instalaciones para proteger objetivos militares y alejarlas en lo posible de ellos.

[156] ASOCIACIÓN MÉDICA MUNDIAL: Regulaciones en tiempo de conflicto armado. En *Manual de Políticas de la AMM*. Asociación Médica Mundial, págs. 100-103.

Todo esto lleva a la conclusión de que los Convenios de Ginebra elevan a la categoría de norma de carácter internacional el criterio deontológico que debe primar en cualquier actuación médica.

Por su parte, la Doctrina Sanitaria Conjunta de España recoge la sujeción a las normas convencionales, afirmando en su Preámbulo que «los principios que rigen el apoyo sanitario están basados en los criterios, admitidos generalmente, sobre la práctica profesional de los facultativos y en los principios éticos, teniendo en consideración las condiciones del medio y el marco logístico en que se desarrollan las operaciones, así como las normas de comportamiento recogidas en el Derecho Internacional Humanitario».

Igualmente señala como Principios los de:

— Calidad, para que el apoyo sanitario sea lo más aproximado al prestado en situación de paz en nuestra sociedad.
— Oportunidad, para que el despliegue sanitario cubra todo el escenario de la operación.
— Continuidad, para que se mantenga en todas las fases de la operación.
— Confidencialidad, para que la información sanitaria no sea transmitida a personas u organizaciones que no tengan necesidad de conocerla.
— Disponibilidad, para que los recursos humanos y materiales estén en condiciones de actuar en los plazos establecidos en el planeamiento.
— Compatibilidad, para que sus recursos materiales puedan ser interoperables con los de los de ejércitos aliados.
— Equilibrio, para que en el despliegue sanitario exista adecuación entre medios y tratamiento.
— Economía, para optimizar los rendimientos de los medios empleados.
— Flexibilidad, para adaptarse a los imprevistos de las operaciones.
— Sencillez, para que los planes puedan ser de fácil ejecución[157].

En definitiva, la Convención reconoce que la protección a los heridos y enfermos pasa indefectiblemente por el hecho de que los profesionales de la salud puedan hacer su trabajo en condiciones idóneas. Y, como en el caso de los pacientes, las infracciones tienen la consideración de graves y están tipificadas tanto en las legislaciones internas como en la internacional, pues sólo así puede garantizarse una asistencia médica digna a quienes por su estado de salud están más necesitados de protección.

---

[157] ESTADO MAYOR DE LA DEFENSA: C-4-001. *Doctrina sanitaria conjunta Ministerio de Defensa*, págs. 2-3.

Por último, decir que el Protocolo Adicional I prevé en su artículo 1.2 que, en los casos no previstos en la Convención, las personas civiles y los combatientes quedan bajo la protección y el imperio de los principios del Derecho de Gentes derivados de los usos establecidos, de los principios de humanidad y de los dictados de la conciencia pública. Es ni más ni menos que la inclusión de la llamada cláusula Martens, incorporada por primera vez en el Preámbulo del II Convenio de La Haya de 1899 a petición del representante ruso de ascendencia alemana Fiodor Martens, y que refleja el espíritu que debe guiar la interpretación de la normativa internacional en lo referido a los conflictos armados y la protección de víctimas y de personal humanitario.

5. LA MEDICINA MILITAR: EL EQUILIBRIO ENTRE LA OBEDIENCIA DEBIDA Y LA ÉTICA MÉDICA EN LOS CONFLICTOS ARMADOS

Cuando tratados y doctrina se refieren a la medicina militar, están aludiendo a la ejercida por los cuerpos militares de sanidad de los ejércitos, que están integrados por profesionales de la salud con la condición de militar. Es precisamente esa condición militar del sanitario la que hace que su actuación se sujete a los principios organizativos de la institución que, según el Preámbulo de la Ley Orgánica 5/2005, de 17 de noviembre, de la carrera militar, son los de jerarquía, disciplina, unidad y eficacia. Por su parte, el artículo 20 de la misma norma deriva a una posterior ley el establecimiento de las reglas de comportamiento de los militares, que cifra de forma especial en la disciplina, la jerarquía y los límites de la obediencia.

Así pues, es innegable que la organización militar tiene en los principios de jerarquía y subordinación dos de sus pilares fundamentales. No en vano las Reales Ordenanzas para las Fuerzas Armadas dicen en su artículo 10 que éstas forman una institución disciplinada, jerarquizada y unida, lo que supone que todos los militares, incluidos los médicos y demás profesionales de la salud, tienen el deber de obedecer las órdenes de sus superiores. Allí Turrillas describe su importancia de forma muy gráfica cuando afirma que la jerarquía se predica de la institución militar como el humo del fuego[158].

Evidentemente la labor de dirección y organización de la cabeza de la cadena de mando alcanza a la actividad de los médicos militares. La doctrina

---

[158]   ALLÍ TURRILLAS, Juan Cruz: *La profesión militar.* INAP, pág. 55.

sanitaria conjunta reconoce que la organización operativa es toda aquella organización militar que se establece para la concepción, planeamiento, conducción y ejecución de operaciones militares, y se compone de un Mando, de una Fuerza para el cumplimiento de la misión y de unos Apoyos, entre los que identifica y sitúa el apoyo sanitario. De este modo, si Fuerza y Apoyos dependen jerárquicamente del Mando Operativo, y éste es el responsable de la concepción, planeamiento, conducción y ejecución de operaciones, el apoyo sanitario y todos sus miembros le están subordinados[159]. Y ello implica sujeción a las instrucciones del Mando. En la propia doctrina se reconoce que los órganos de dirección de asesoramiento sanitario tienen una dependencia operativa permanente tanto del Mando Operativo de las Fuerzas Armadas, como de los Mandos componentes, lo que en la práctica equivale a decir que son sus superiores jerárquicos[160], con lo que es indudable que su trabajo está sujeto a las prescripciones de sus superiores. La cuestión a dilucidar, por tanto, estriba en determinar cuál es el límite de esa jerarquía y subordinación o, dicho de otro modo, hasta dónde debe llegar el médico militar en su obediencia al mando.

Ciertamente los militares deben obediencia a sus superiores pues, como ya hemos dicho, en eso se basa el principio de jerarquía. Pero no lo es menos que la obediencia debida no tiene por qué ser ciega, porque el cumplimiento de una orden no puede ser excusa para cometer un delito. Ahora bien, esta máxima, que en principio parece clara, no aparece consignada expresamente en los Convenios de Ginebra. La eximente de obediencia jerárquica no fue recogida en ninguno de los textos ni de los Protocolos Adicionales, y ello a pesar de que hubo propuestas concretas para su inclusión, que fueron rechazadas por muchos Estados argumentando razones políticas y psicológicas. La colisión entre el deber de obediencia al mando y el de no cometer crímenes ha quedado pues a criterio de cada Estado, que en su legislación interna puede incluir o no la obediencia debida como eximente de responsabilidad penal[161].

En España, la Ley Orgánica 9/2011, de 27 de julio, de derechos y deberes de los miembros de las fuerzas armadas, recoge en su artículo 6 las reglas esenciales que definen el comportamiento del militar, entre las que destacan a los efectos que nos ocupan la undécima, que declara que los militares tienen

[159] ESTADO MAYOR DE LA DEFENSA: C-4-001. *Doctrina sanitaria conjunta Ministerio de Defensa*, pág. 11.

[160] *Opus cit.* Pág. 14.

[161] HERNÁNDEZ SUÁREZ-LLANOS, Francisco Javier: Una aproximación a la eximente por obediencia jerárquica desde el derecho internacional. *Revista de Derecho Penal y Criminología*, 3.ª época, n.º 6, 2011, Uned, págs. 45-78.

obligación de obedecer las órdenes y requerimientos que, en forma adecuada y dentro de las atribuciones que le correspondan, emita un militar de empleo superior; y sobre todo la duodécima, que afirma taxativamente que si las órdenes entrañan la ejecución de actos constitutivos de delito, en particular contra la Constitución y contra las personas y bienes protegidos en caso de conflicto armado, el militar no estará obligado a obedecerlas y deberá comunicarlo al mando superior inmediato de quien dio la orden por el conducto más rápido y eficaz, puntualizando que en todo caso asumirá la grave responsabilidad de su acción u omisión. Por su parte, el vigente Código Penal Militar de 1985 declara en su artículo 21 que no puede considerarse eximente ni atenuante el obrar en virtud de obediencia a aquella orden que entrañe la ejecución de actos que manifiestamente sean contrarios a las Leyes o usos de la guerra o constituyan delito, en particular contra la Constitución.

Según esto el sanitario militar, cualquiera que sea su graduación, formación o especialidad, no tiene por qué cumplir una orden contraria a los Convenios de Ginebra, venga de quien venga. Y lo que es más significativo: si lo hace, si cumple una orden contraria a la Convención, responderá de su acto.

Dicho lo anterior, aun cuando haya de responderse por la realización de cualquier acto contrario a los Convenios, parece claro que en aquellos casos en que las órdenes no sean manifiestamente ilegales sí podría operar la eximente de obediencia debida. Incluso algunos autores van más allá, sosteniendo que en algunos casos en que las órdenes sean manifiestamente ilegales, podrían aplicarse las eximentes de error de prohibición y miedo insuperable del Código Penal Común[162].

No obstante, el criterio de aplicación de las eximentes debe ser restrictivo. A este respecto cabe decir que los primeros borradores del anteproyecto de ley del nuevo Código Penal Militar recogían la eximente de obediencia debida, por la que carecía de responsabilidad penal el militar que cometieran un delito en cumplimiento de una orden, siempre que no conociera su «ilicitud penal y la orden no fuera manifiestamente ilícita». Pues bien, la eximente despareció del texto incluso mucho antes de ser aprobado por el Gobierno para su remisión a las Cortes, a instancia del Consejo General del Poder Judicial[163].

---

[162] HERNÁNDEZ SUÁREZ-LLANOS, Francisco Javier: *La exención por obediencia jerárquica en el derecho penal español, comparado e internacional*. Instituto Universitario General Gutiérrez Mellado de Investigación sobre la Paz, la Seguridad y la Defensa, págs. 301-310.

[163] GONZÁLEZ, Miguel: Defensa renuncia a resucitar la obediencia debida como eximente. *El País*, edición del día 31 de enero de 2014. Disponible en: http://politica.elpais.com/politica/2014/01/31 /actualidad/.html.

De este modo, los médicos militares españoles deben asumir las órdenes de sus superiores, salvo en el hipotético caso de que fueran contrarias a las prescripciones de los Convenios de Ginebra sobre atención a heridos y enfermos, las cuales priman incluso sobre las instrucciones que reciban. Por esta razón mantenemos que la organización médica militar en general y los profesionales militares en particular, deben ajustar su actuación al equilibrio que ha de mantenerse entre la obediencia debida y la ética médica de los conflictos.

6. EL DESPLIEGUE DE LA SANIDAD MILITAR ESPAÑOLA EN CONFLICTOS ARMADOS

Después de la guerra civil las ocasiones en las que los ejércitos españoles se han visto envueltos en un conflicto armado se ciñen a la participación en la Segunda Guerra Mundial con la División Azul y la guerra de Sidi-Ifni-Sáhara, la guerra olvidada, que tuvo lugar de finales de 1957 a 1958. En ambos casos estuvo presente la Sanidad Militar, que tras ello tuvo oportunidad de participar en la guerra de Vietnam, en la que fue la primera participación del Cuerpo, y del Ejército español, en una misión internacional en la formulación que hoy conocemos.

6.1. LA EXPERIENCIA DE VIETNAM

En el año 1965 el entonces presidente Johnson pidió al general Franco que enviara tropas a Vietnam, a lo que éste le respondió con un no rotundo, permitiéndose además pronosticar que los americanos perderían la guerra. No obstante, al año siguiente dispuso el envío de *una pequeña unidad* militar formada por cinco médicos, siete enfermeros, todos ellos del Cuerpo de Sanidad del Ejército de Tierra, más un oficial de Intendencia, y varios suboficiales especialistas del Ejército de Tierra, que regentaron un pequeño hospital en Gò-Cong, en el delta del río Mekong, a sesenta kilómetros de Saigón, la actual Ho Chi Minh. El Cuerpo de Sanidad articuló relevos periódicos, primero anuales y luego semestrales, hasta la retirada definitiva en el año 1971. Es de destacar que cuatro de los militares volvieron varias veces de forma voluntaria, llegando incluso uno a permanecer allí destacado tres años y medio.

La Misión Sanitaria Española de Ayuda a Vietnam del Sur fue muy bien valorada. Su función fue exclusivamente sanitaria y consistió en la atención a los pacientes civiles de la zona y militares heridos y enfermos sin distinción de bando ni rango, es decir, tanto militares sudvietnamitas y norteamericanos, como guerrilleros del Vietcong, con lo que se dio estricto cumplimiento a la Convención de Ginebra.

Entre los enfermos, se atendió principalmente a afectados de enfermedades tropicales como paludismo, amebiasis y tifus, así como de tétanos, hepatitis, tuberculosis, lepra y malnutrición infantil. En cuanto a los heridos, lógicamente fueron mayoritarios los atendidos por lesiones específicas de guerra, como traumatismos diversos y amputaciones traumáticas derivadas de explosiones de minas, heridas inciso-contusas por impactos de metralla, heridas de bala y quemaduras por efecto del napalm, la gasolina gelatinosa utilizada por las Fuerzas Armadas norteamericanas durante el conflicto, o politraumatismos por accidentes de tráfico [164].

Sobre la atención a heridos del bando contrario, escribe Rodríguez Jiménez que

> por su parte Gutiérrez de Terán, uno de los Suboficiales desplazados, recuerda con satisfacción a un prisionero del Vietcong, con una pierna fracturada y gangrenada. Estaba atado a una cama, a la espera de ser interrogado. Un miembro de la Asociación Médica Americana le dijo que no tardaría en morir, que hiciera lo que pudiera por él para aliviarle el dolor. El suboficial le aplicó antibióticos y, aunque sufrió tremendos dolores y perdió la pierna, salvó la vida y fue enviado a la ONG «Brazos Abiertos», que le dio acceso al servicio de ortopedia organizado por Estados Unidos en Saigón[165].

El ejemplo es significativo. Como se ve, los militares españoles en Vietnam tuvieron presente en todo momento que debían cumplir las prescripciones de los Convenios de Ginebra por encima de cualquier otra consideración.

Mas con todo, la presencia de los sanitarios militares en Vietnam fue algo excepcional, ya que durante el período franquista los ejércitos españoles no participaron en ninguna otra operación en el exterior, salvo un puntual apoyo en Agadir (Marruecos) en 1960, para ayudar a las víctimas de un terremoto que asoló la zona. Nuestro país estaba vinculado a la defensa occidental desde el año 1953, en que se firmaron los acuerdos con Estados Unidos, pero

[164] ALONSO, José Ramón: *Metralla en la cabeza*. Disponible en http://jralonso.es/2015/04/29/metralla-en-la-cabeza/.
[165] RODRÍGUEZ JIMÉNEZ, José L.: La misión de la sanidad militar española en Vietnam del Sur (1966-1971). *Revista WarHeat Internacional*, vol. 16, n.º 119, 2013, págs. 14-24.

a pesar de ello las Fuerzas Armadas no participaban en actividades con otros ejércitos salvo pequeñas maniobras con alguna unidad americana, siempre en territorio español.

6.2. LA NUEVA CONCEPCIÓN DEL APOYO SANITARIO EN OPERACIONES

Con la Transición se produjo una auténtica revolución en el aparato del Estado, a la que no fueron ajenos los Ejércitos, que no tardaron en adaptarse a los nuevos tiempos, a buen seguro porque la propia Institución venía preparada desde mucho antes para el cambio, contribuyendo también eficazmente a ello la incorporación de España a las organizaciones regionales de defensa y seguridad y la participación habitual en operaciones multinacionales en el exterior.

El ingreso en la OTAN en el año 1982 supuso una nueva concepción de la Defensa, que se plasmó en la Ley Orgánica de Criterios Básicos de Defensa Nacional y Organización Militar de 1984. A partir de ella se articuló un nuevo modelo de Fuerzas Armadas, integrado en las estructuras multinacionales y con un objetivo claro de elevación del nivel de operatividad, a través de una mayor preparación del personal y del empleo de avanzados medios y tecnologías. El esfuerzo por adaptarse a la nueva situación se puso de manifiesto en los sucesivos planes de reforma, que en poco tiempo lograron no sólo modernizar las obsoletas estructuras de mando y control, sino también las capacidades de las unidades de la fuerza, que pasaron de una organización territorial a otra funcional, para amoldarse a los nuevos requerimientos que exigía la defensa compartida y la corresponsabilidad en la consecución del objetivo de seguridad y estabilidad.

En este contexto, si la evolución general de los ejércitos españoles en el período democrático fue rápida, eficiente y ejemplar, la específica de la Sanidad Militar debe calificarse de puntera. Antes de la reforma, la Sanidad Militar disponía de unos materiales de campaña obsoletos, mal mantenidos y escasos, a buen seguro porque el esfuerzo económico se venía haciendo en el mantenimiento de una estructura hospitalaria sobredimensionada, más pensada para la asistencia a los militares profesionales y sus familias en tiempo de paz que para su utilización en los heridos y enfermos en conflictos. Según García González, con las operaciones en el exterior, las unidades operativas desplegadas en escenarios lejanos y con riesgos evidentes reclamaban unas formaciones sanitarias que apoyaran a los militares rápida y eficazmente, salvando vidas y evacuando a quienes no pudieran permanecer en zonas de conflicto[166].

---

[166] GARCÍA GONZÁLEZ, José Antonio: Sobre la sanidad militar. *Revista Atenea*, n.º 12, 2009. Empresa i2v, pág. 10.

Ciertamente en poco tiempo los ejércitos, sobre todo el de Tierra, habían organizado unas modernas unidades proyectables y de rápido despliegue, que no se correspondían con las unidades sanitarias que debían acompañarlas. Por esta razón fueron miembros de la sanidad militar los que, analizando los avances de otros ejércitos de nuestro entorno, diseñaron un tipo de unidad desplegable en tiempos mínimos sobre una zona de operaciones situada a larga distancia y a su vez dotada de medios para practicar sobre el terreno técnicas de soporte vital avanzado traumatológico, que hasta entonces se pensaba que sólo podían ser aplicadas en unidades hospitalarias de cuidados intensivos. Nacieron así en 1990 los Escalones Médicos Avanzados (EMAT), unidades de primera respuesta y despliegue inmediato que, dotadas con equipamiento limitado aunque de sencillo manejo y alta tecnología, cumplían —y cumplen— sobradamente el objetivo de estabilización y clasificación de los heridos en la misma zona de conflicto, para su posterior evacuación a centros más alejados en los que se puede hacer un tratamiento más continuado y complejo. Sus recursos, flexibles y modulares, consisten principalmente en equipos de monitorización electrocardiográfica, inmovilización, ventilación mecánica, oxigeno terapia, medicación y fluidos suficientes para el soporte vital básico y avanzado, amén de quirófano y sala de reconocimiento y curas[167].

Las nuevas unidades se estrenaron en Bosnia-Herzegovina, donde además de la atención a los militares españoles prestaron asistencia sanitaria a heridos y enfermos de los tres bandos contendientes y civiles de la zona, llegando incluso a intervenir en intercambios de prisioneros y cadáveres. El cambio de orientación fue pues fundamental. La nueva filosofía del apoyo sanitario encajó perfectamente en la modernización de la estructura militar, dando respuesta a las nuevas necesidades del ejército moderno en que el español se estaba transformando.

Mas con todo, no debe olvidarse que la función básica y primordial de la sanidad militar en los conflictos armados es proporcionar a las tropas propias los medios humanos y materiales para el mantenimiento y recuperación de la salud e integridad, tanto física como psíquica[168]. Porque aunque en el campo de batalla hayan de cumplirse las premisas asistenciales de los convenios internacionales y atender a todos los heridos sin discriminación de bando, lo cierto y verdad es que los cuerpos militares de sanidad de todos

---

[167] RODRÍGUEZ JIMÉNEZ, José Luis: El EMAT en misiones en el exterior. *Revista Atenea*, n.º 12, 2009. Empresa i2v, págs. 15-19.

[168] MANDO DE ADIESTRAMIENTO Y DOCTRINA DEL EJÉRCITO DE TIERRA: *PD4-216. Sanidad en Operaciones.* Ministerio de Defensa, pág. 1.1.

los ejércitos del mundo encuentran su razón de ser en la recuperación de sus propias bajas sanitarias, entendiendo por tales las personas que están incapacitadas temporalmente para desarrollar los cometidos del servicio durante más de veinticuatro horas, precisando asistencia sanitaria por su enfermedad o lesión, causada por acción del combate, por accidente o por enfermedad. Son esas bajas de combate (en las que se incluyen los muertos, heridos y bajas por estrés en el curso de las operaciones) y de no combate (los heridos y enfermos que se producen sin relación con las acciones de la operación) las que justifican la existencia y presencia de la sanidad de cada ejército en el conflicto y para las que se planifica un procedimiento de atención estructurado, escalonado y conjunto, del que a la vez pueden beneficiarse heridos, enfermos y prisioneros del bando contrario y civiles de toda condición, y que también puede extrapolarse a misiones de ayuda humanitaria[169].

Con la experiencia adquirida en los distintos escenarios de conflicto, en el año 2003 se aprobó la Doctrina Sanitaria Conjunta a la que ya hemos aludido. En ella se fijan los criterios que deben regir la actuación del apoyo sanitario en operaciones conjuntas, desde la inteligencia, planeamiento, prevención y abastecimiento y mantenimiento de recursos sanitarios, hasta el tratamiento y evacuación de heridos y enfermos.

Mención especial se hace en el texto al escalonamiento. Tradicionalmente en los ejércitos españoles los apoyos a la fuerza se han distribuido en escalones, que se corresponden con las estructuras organizativas y de mando de ésta, de modo que a cada tipo de unidad corresponde un escalón, entendiendo por tal el conjunto organizado de medios humanos y materiales con una capacidad determinada que presta apoyo sanitario a una unidad u organización operativa. La capacidad de cada escalón se denomina Nivel de Apoyo, que es el conjunto agrupado de cometidos que desarrolla cada uno de los escalones. Por tanto, el concepto escalón se refiere a la organización y el de nivel a la función[170].

El escalonamiento supone la distribución de los medios y capacidades sanitarias en la misma zona de operaciones en cuatro estratos o escalones, correspondiendo los medios y cometidos más elementales a los desplegados en vanguardia y los más complejos a los más retrasados, siendo a la vez una estructura funcional por la que se pueden transmitir órdenes e instrucciones de carácter exclusivamente técnico. Los cuatro escalones sanitarios están

---

[169] ESTADO MAYOR DE LA DEFENSA: C-4-001. *Doctrina sanitaria conjunta Ministerio de Defensa*, pág. 33.

[170] *Opus cit.* Pág. 23.

enlazados entre sí, constituyendo un conjunto funcional único denominado cadena de evacuación, que es en realidad de evacuación y tratamiento, en la que todos los niveles aplican los mismos procedimientos, que incluso están homologados a nivel OTAN. A este respecto, decir que la organización regional de defensa tiene establecido un sistema para unificar procesos, procedimientos, técnicas militares e incluso sistemas de equipamiento y abastecimiento, lo que lleva a cabo por medio de unos documentos denominados STANAG o acuerdos de normalización, que cada Estado miembro ratifica y asume como ratio de mínimos, para así conseguir que las Fuerzas Armadas de un país miembro puedan apoyarse fácilmente en las de otro si lo necesitan. En el ámbito de la sanidad están normalizados aspectos tan importantes como el modelo de historia clínica, las cartillas de vacunación o los procedimientos de evacuación y transporte en medios terrestres o aéreos.

En el Ejército de Tierra se habla también de formaciones sanitarias de tratamiento, que se pueden activar en operaciones a partir de unidades orgánicas de Sanidad y que pueden ser de cuatro tipos[171]:

– Los Puestos de Socorro, activados por los pelotones de Sanidad de las pequeñas unidades operativas (Batallón, Grupo y Regimiento), que disponen de capacidad tanto para la puesta en estado de evacuación de las bajas como para su posterior traslado, empleando técnicas de soporte vital avanzado traumatológico, entendiendo por tal el conjunto de conocimientos, técnicas y maniobras dirigidas a proporcionar el tratamiento definitivo a las situaciones de parada cardiorrespiratoria a pacientes traumatológicos, optimizando la sustitución de las funciones respiratorias y circulatorias y las técnicas de inmovilización adecuadas para prevenir el agravamiento de las lesiones, hasta el momento en que éstas se recuperen y el paciente pueda ser transferido a un centro de asistencia con capacidad suficiente para poder darle un tratamiento definitivo[172].

– Los Puestos de Cirugía Ligera Avanzada, activados por las compañías de Sanidad de las Brigadas operativas, que disponen de capacidad de cirugía de control de daños, entendiendo por tal el tratamiento para estabilizar a la baja en orden a salvar la vida, el miembro o la función, realizada siempre por un equipo quirúrgico.

---

[171] MANDO DE ADIESTRAMIENTO Y DOCTRINA DEL EJÉRCITO DE TIERRA: *PD4-216. Sanidad en Operaciones.* Ministerio de Defensa, pág. 3.1.

[172] *Opus cit.* Pág. 5-5.

Este método debe ser completado después por cirugía principal o definitiva[173].

— Los Escalones Médicos Avanzados Terrestres, de los que ya hemos hablado, y los Equipos de Cirugía Avanzados, activados por las grandes unidades de apoyo sanitario, que disponen de capacidad para realizar cirugía de control de daños o cirugía primaria, así como para desarrollar de forma reducida todos los otros cometidos del Servicio de Sanidad (asistencia médica, farmacéutica, veterinaria, odontológica y psicológica).

— El Hospital de Campaña, que dispone de servicios de alto nivel tecnológico para tratamiento quirúrgico, cuidados intensivos, cuidado de quemados, radiología, laboratorio, etc. Está capacitado para realizar cirugía primaria, entendiendo por tal la destinada a reparar los daños locales producidos tras un traumatismo severo, más que a la corrección de sus efectos generalizados[174].

Esta organización en formaciones sanitarias no choca con el escalonamiento, ya que por lo general cada una de ellas realiza funciones en uno de los cuatro escalones sanitarios, cuyas capacidades y cometidos están recogidos inicialmente en la Doctrina Sanitaria Conjunta, aunque después cada ejército los adapte a sus requerimientos en sus publicaciones doctrinales específicas.

6.2.1. *Primer escalón*

Es el asignado a las unidades combatientes menores, concretamente hasta las de tipo compañía, y se forma con los medios orgánicos propios de la unidad, por lo que es un elemento integrado por recursos personales y materiales muy reducidos, pero a la vez muy importante por ser el que primero toma contacto con los heridos en combate y los enfermos de primera línea. Tiene, por tanto, la capacidad de prestar apoyo sanitario inmediato a las bajas, de recogerlas y de realizar la clasificación inicial, siendo sus cometidos primordiales el soporte vital, clasificación y tratamiento inicial, la recogida y transporte de bajas desde el lugar mismo de producción de la lesión, así como el control del movimiento y de la asistencia a las bajas. Igualmente se responsabiliza de la asistencia habitual primaria a enfermos en primera línea y de los cuidados de lesiones y procesos menores para la vuelta inmediata al servicio, así como

---

[173]   *Opus cit.* Pág. 5-6.
[174]   *Opus cit.* Pág. 5-6.

de la adopción de medidas de prevención sanitaria frente a enfermedades, lesiones no de combate y estrés de combate.

En el Ejército de Tierra, el primer escalón cuenta con dos elementos asistenciales. El primero de ellos ni siquiera tiene categoría de formación sanitaria y se denomina Nido de Heridos. Está integrado por sanitarios no facultativos con conocimientos adecuados en soporte vital básico, que prestan una primera asistencia a la baja y la trasladan a un lugar a cubierto y de fácil acceso, a la espera de que sea evacuada. El objetivo a corto plazo de la sanidad militar es que todo el personal no facultativo tenga formación asimilada a los técnicos de emergencias sanitarias del sistema educativo general[175].

Sin duda el cometido más importante de este elemento es el soporte vital básico, entendiendo por tal el conjunto de conocimientos y habilidades para identificar a las víctimas con posible paro cardíaco, alertar a los sistemas de emergencias y realizar una sustitución precaria de las funciones respiratoria y circulatoria hasta el momento en que la víctima pueda recibir tratamiento cualificado. El soporte vital básico tiene una modalidad instrumentalizada, que comprende la reanimación cardiopulmonar realizada con dispositivos sencillos para lograr mejorar los niveles de oxigenación y ventilación y con desfibriladores semiautomáticos para posibilitar la desfibrilación temprana[176].

El primer escalón se completa con el Puesto de Socorro al que hemos aludido, formación sanitaria que ya dispone de personal facultativo y que funciona generalmente en grupos de dos, uno sobre tienda de campaña y otro móvil, disponiendo de zonas para la recepción y clasificación, tratamiento (sólo realización de curas) y puesta en estado de evacuación de las bajas, así como medios de evacuación del propio puesto de socorro (ambulancias de traslado). Su ubicación debe ser tal que disponga de fácil enlace con el Puesto de Mando del grupo táctico al que esté adscrito, que esté a cubierto del fuego de armas de puntería directa y a la vez próximo a la ruta principal de evacuación[177].

6.2.2. *Segundo escalón*

Generalmente es el prestado en el ámbito de grandes unidades de tipo Brigada o superior, buques y bases aéreas, y se forma con puestos de cirugía ligeros (segundo escalón ligero) o Escalones Médicos Avanzados (segundo

---

[175] *Opus cit.* Pág. 1A.1.
[176] *Opus cit.* Pág. 5.4.
[177] *Opus cit.* Pág. 3.4.

escalón reforzado). Tiene capacidad de estabilización de heridos y su puesta en estado de evacuación.

El segundo escalón es el responsable de la evacuación de las bajas sanitarias desde el primer escalón y dentro del segundo escalón, así como de su reanimación, estabilización, clasificación y continuación del tratamiento hasta la evacuación posterior a escalón superior. Ello sin olvidar la atención a heridos y enfermos que puedan ser tratados sin evacuación hasta que estén en condiciones de volver al servicio y de la atención al estrés de combate en su nivel.

Cuando el escalón sea reforzado podrá adicionalmente realizar cirugía de urgencia, cuidados básicos postoperatorios y tratamiento de urgencias odontológicas, para lo que dispondrá de medios o equipos quirúrgicos, de diagnóstico, apoyo de enfermería y camas[178].

El Ejército de Tierra tiene estipulado que cuando el segundo escalón es reforzado por estar servido por un Escalón Médico Avanzado Terrestre (EMAT) dispondrá de servicios de cirugía principal, cuidados intensivos, cuidados postoperatorios esenciales, laboratorio, radiodiagnóstico, incluyendo capacidad básica de exploración por imágenes e incluso telemedicina, teniendo que ser capaz de realizar hasta 20 intervenciones quirúrgicas por día y hospitalización de hasta 50 bajas, además de apoyo odontológico y psicológico[179].

6.2.3. *Tercer escalón*

Dice la doctrina sanitaria conjunta que el tercer escalón es el elemento crucial del sistema de apoyo sanitario por cuanto que tiene que asegurar que las bajas dispongan de cirugía de urgencia lo antes posible y en todo caso no más tarde de seis horas desde la producción de la lesión. Por tanto, debe tener capacidad quirúrgica plena de urgencia y hospitalización.

Para cumplir con este objetivo, entre los cometidos del tercer escalón están la evacuación dentro del propio escalón desde el segundo escalón y en algunos casos desde el primero, clasificación, reanimación y estabilización para la puesta en estado de evacuación y evacuación medicalizada hacia el cuarto escalón.

Asimismo es responsable de la asistencia médico-quirúrgica de urgencia a bajas sanitarias que no pueden tolerar una evacuación posterior sin antes

---

[178] ESTADO MAYOR DE LA DEFENSA: *C-4-001. Doctrina sanitaria conjunta Ministerio de Defensa*, pág. 25.

[179] MANDO DE ADIESTRAMIENTO Y DOCTRINA DEL EJÉRCITO DE TIERRA: *PD4-216. Sanidad en Operaciones*. Ministerio de Defensa, pág. 3.6.

recibir tratamiento inmediato o cuando la evacuación no es posible, así como diagnóstico y tratamiento, con hospitalización si fuera requerida, de las bajas que puedan recibir tratamiento total y volver al servicio[180].

En el Ejército de Tierra el tercer escalón lo proporciona una formación sanitaria de tratamiento de categoría superior, el hospital de campaña, adscrito a las grandes unidades como División, Cuerpo de Ejército o Mando Componente Terrestre. Entre sus capacidades están la atención médica de hasta 50 bajas por día, 40 intervenciones quirúrgicas y hospitalización de hasta 100 bajas. Para ello debe disponer de servicios de diagnosis avanzada y especializada para apoyo a especialidades clínicas, hematología, cuidados postoperatorios e intensivos, odontología, asistencia psicológica y medicina preventiva. Eventualmente podrá disponer además de apoyo de otras especialidades médicas y quirúrgicas como medicina interna, dermatología, psiquiatría, cirugía maxilofacial, plástica y reparadora, torácica, vascular, neurocirugía, etc.[181].

6.2.4. *Cuarto escalón*

Es el encargado de prestar asistencia sanitaria definitiva, incluyendo rehabilitación, a las bajas sanitarias a las que los servicios del tercer escalón son insuficientes para su tratamiento, tanto porque las capacidades del mismo sean insuficientes, como porque el tiempo estimado de recuperación exceda de lo que se haya establecido. Este escalón se ubica siempre en territorio nacional, ocasionalmente también puede estar en el de naciones aliadas, y se sirve de las instalaciones hospitalarias de la red sanitaria militar completándose en caso necesario con los del servicio nacional de salud y asiste a los heridos y enfermos hasta su recuperación definitiva[182].

6.2.5. *El escalonamiento en el ámbito de la OTAN*

Si bien el escalonamiento que hemos analizado es el vigente en los ejércitos españoles, la integración en la OTAN hace que en la práctica las estructuras sanitarias se adecuen a sus prescripciones, precisamente para que el apoyo

---

[180] ESTADO MAYOR DE LA DEFENSA: C-4-001. *Doctrina sanitaria conjunta Ministerio de Defensa*, pág. 26.

[181] MANDO DE ADIESTRAMIENTO Y DOCTRINA DEL EJÉRCITO DE TIERRA: *PD4-216. Sanidad en Operaciones. Ministerio de Defensa*, págs. 3.6 y 3.7.

[182] ESTADO MAYOR DE LA DEFENSA: C-4-001. *Doctrina sanitaria conjunta Ministerio de Defensa*, pág. 27.

sanitario en misiones internacionales pueda reforzarse con las de otros ejércitos desplegados en las distintas zonas de operaciones.

En el ámbito de la OTAN los escalones se denominan ROLE y como los españoles se organizan en cuatro niveles, aunque difieran en capacidades y recursos. Su misión primordial es la asistencia sanitaria a militares heridos en combate, aunque de ordinario su capacidad se utilice de forma más amplia, extendiéndose a enfermos, prisioneros y civiles.

El ROLE 1 tiene capacidades y recursos de hasta segundo escalón, encargándose de la recogida y transporte de bajas desde el lugar de producción de la lesión, soporte vital básico, triaje (asistencia que orienta sobre las posibilidades de supervivencia inmediata de la baja, determina las maniobras básicas previas a su evacuación y establece la prelación en el transporte), resucitación, estabilización, y tratamiento inicial, así como tratamiento de lesiones y enfermedades menores, para la vuelta inmediata al servicio o tras un período corto de tiempo[183].

En Afganistán el desplegado por el Ejército de Tierra en Quala e Naw disponía de capacidades de soporte vital avanzado y según sus facultativos se asimilaba a un centro de salud[184]. Se trataría en tal caso de un ROLE 1 reforzado.

Del ROLE 2 hay dos modalidades, el 2LM o ligero y el 2E o reforzado, que asumen misiones de segundo escalón en el primer caso y de tercero en el caso del reforzado. Con carácter general se encarga de la evacuación desde el ROLE 1, disponiendo de reanimación, triaje, estabilización, incluyendo cirugía, reanimación y cuidados intensivos, cirugía de control del daño, reanimación, preparación para evacuación, laboratorio y radiología básicas, telemedicina y una capacidad de hospitalización de hasta 20 camas para estancias cortas.

El de modalidad 2E tiene además servicios de cirugía primaria, banco de sangre, unidad de descontaminación y hospitalización entre 25 y 50 camas. Como se ve, pues, está a caballo entre los escalones segundo y tercero del sistema nacional.

El ROLE 3 es equivalente a un tercer escalón más dotado, ya que incluye más especialidades médicas y quirúrgicas, como medicina interna, neurología, oftalmología, neurocirugía, cirugía maxilofacial, quemados, etc., disponiendo también de una mayor capacidad de diagnóstico y camas de hospitalización.

---

[183] MANDO DE ADIESTRAMIENTO Y DOCTRINA DEL EJÉRCITO DE TIERRA: *PD4-216. Sanidad en Operaciones.* Ministerio de Defensa, pág. 3.13.

[184] AMEGULLO CATALÁN, José: Médicos militares en el Role 1 de Afganistán. *Revista Ejército*, n.º 853, abril 2012, pág. 94.

El ROLE 4 es idéntico al cuarto escalón y se ubica en territorio nacional[185].

Aunque el escalonamiento nacional tiene plena validez, la prácticamente exclusiva participación en operaciones internacionales de corte multinacional hace que hoy día se utilice casi en exclusiva la nivelación OTAN. Precisamente desde el año 2009 nuestro país mantiene abierto en Herat (Afganistán) un ROLE 2E, que es el centro sanitario de referencia de la zona. Atiende más de 7.000 pacientes al año Hasta enero de 2014 se habían realizado en él más de 1.100 intervenciones quirúrgicas, la mayoría a heridos por armas de fuego o artefactos explosivos improvisados.

De la interacción e integración en el sistema sanitario aliado da idea el dato de que el escalonamiento lo componían diversos ROLE 1, entre ellos, el ya citado de Quala e Naw y dos más en Muqur y Ludina, el ROLE 2E que nos ocupa y un ROLE 3 que Estados Unidos mantenía desplegado en Bagram, ciudad cercana a Kabul. Como ROLE 4 actuaba el Hospital General de la Defensa Gómez Ulla de Madrid[186]. Precisamente como conclusiones importantes relacionadas con esa participación combinada con las unidades sanitarias aliadas, los autores destacan la necesidad de normalizar el material, procedimientos y fármacos empleados sobre las bajas en combate, lo que pone de manifiesto la convicción de los expertos de que cuanta mayor sea la coordinación de los distintos ejércitos en materia sanitaria, mayores serán las posibilidades de supervivencia de los heridos[187].

6.3. Clasificación y evacuación de las bajas sanitarias

Como se ha visto, la actividad de la Sanidad Militar en las zonas de operaciones de los conflictos armados gira fundamentalmente en torno a la clasificación de los heridos y enfermos y su evacuación, lo cual es lógico por cuanto que, como en cualquier servicio de urgencias, debe seguirse un protocolo de atención a los destinatarios de la atención médica, que para ser de calidad debe realizarse en lugares lo más alejados posible del campo de batalla.

[185] MANDO DE ADIESTRAMIENTO Y DOCTRINA DEL EJÉRCITO DE TIERRA: *PD4-216. Sanidad en Operaciones*. Ministerio de Defensa, pág. 3.14.

[186] EXPÓSITO MONTERO, José Luis: Urgencias de campaña en el oeste afgano. *Revista Española de Defensa*, enero 2014, Ministerio de Defensa, págs. 20-23.

[187] RODRIGO SUAY, Ángel Rodrigo y otros: Despliegue y capacidades sanitarias en la región oeste de Afganistán (provincia de Badghis y Herat) de agosto a noviembre 2012. *Revista Sanidad Militar*, n.º 69, 2013, pág. 59.

Por otra parte, la evacuación es una parte esencial de la atención sanitaria y requiere cuidados concretos, que pueden ser específicos para cada herido. Y como los recursos para realizarla son siempre limitados, es imprescindible establecer unas reglas de traslado que tienen que respetar el único criterio que según la Convención de Ginebra y la deontología médica puede utilizarse, que es el de la urgencia médica.

6.3.1. *Clasificación*

El protocolo de clasificación de heridos y enfermos está recogido en la Doctrina Sanitaria Conjunta y completado en las específicas de los distintos ejércitos. En tales documentos se considera que la clasificación es la definición del estado del paciente para su puesta en estado de evacuación, atendiendo al criterio de gravedad de las lesiones y a sus posibilidades de supervivencia; estableciendo prioridades para el tratamiento y la evacuación con el fin de asegurar el mayor beneficio al mayor número posible de bajas.

Para llevar a cabo la clasificación se utiliza un parámetro denominado Plazo Operatorio, que es el tiempo máximo que puede ser aplazado un tratamiento sin que se agrave el pronóstico o se ponga en peligro la vida del combatiente.

La doctrina clasifica las bajas atendiendo a dos criterios. El primero de ellos es el de la urgencia, según el cual los heridos y enfermos son de Prioridad Uno cuando es necesario tratamiento inmediato por hallarse en peligro de muerte inminente y el plazo operatorio ha de ser inferior a tres horas; de Prioridad Dos cuando los heridos se hallan en peligro de muerte por la aparición, en breve espacio de tiempo, de alteraciones fisiopatológicas irreversibles, pérdida de miembros, etc., y su tratamiento quirúrgico no puede retrasarse más de seis horas; de Prioridad Tres si no existe riesgo vital inmediato y su tratamiento puede esperar hasta diez horas; y de Prioridad Cuatro, cuando, tras la puesta en estado de evacuación y una adecuada vigilancia, el tratamiento puede diferirse más de diez horas.

Los heridos de Prioridad Uno representan el 5 por ciento del total de las bajas sanitarias y deben ser tratados en escalones desplegados más a vanguardia (primero y segundo), en tanto que los de Prioridad Dos, que suponen el 25 por ciento los de Prioridad Tres, que son el 30, y los Prioridad Cuatro, el 40 por ciento restante, se tratan en el tercero.

El segundo criterio de clasificación que maneja la Doctrina Sanitaria Conjunta es el de la prioridad para aeroevacuación, que, como no podía ser de otra manera, se condiciona exclusivamente al criterio del estado clínico del paciente y que puede ser urgente, con salida inmediata; preferente, para salida en un plazo inferior a 24 horas; rutinaria, con salida prevista antes de 72 horas; o especial, de salida variable y con personal y medios adecuados.

Existe además otro criterio, que se utiliza en situaciones de bajas masivas, que en el Ejército de Tierra denominan clasificación por mayor posibilidad de supervivencia. En tales casos, que generalmente se dan en enfrentamientos abiertos e intensos, se clasifica las bajas como de Tratamiento Inmediato, para lesionados con riesgo vital grave e inminente, que requieren cirugía inmediata, de breve duración y en bajas con buenas posibilidades de supervivencia; Tratamiento Aplazado, en bajas que tras un previo tratamiento quirúrgico de mantenimiento necesitan cirugía de larga duración, que puede retrasarse sin gran aumento de su riesgo vital; Tratamiento Mínimo, que son lesionados relativamente poco graves, sin riesgo vital, que pueden atenderse inicialmente por sí mismos o por personal no cualificado; y de Tratamiento Expectante, para bajas que han sufrido graves o múltiples lesiones, que requieren intervenciones complejas y de larga duración, con pocas posibilidades de supervivencia y empleo elevado de recursos humanos y materiales[188].

Como puede apreciarse, pues, los criterios de priorización de tratamiento de heridos y enfermos vigentes en los Ejércitos españoles son absolutamente escrupulosos con la Convención de Ginebra. Sólo el estado de los heridos es causa preferente de atención. Ni el grado, ni el bando, ni ninguna otra circunstancia pueden utilizarse para atender a unos heridos antes que a otros.

6.3.2. *Evacuación*

Afirma muy acertadamente la Doctrina Sanitaria Conjunta que la recuperación de las bajas depende en gran medida de una pronta y eficaz evacuación del herido para su tratamiento, que tiene que llevarse a cabo con los siguientes criterios generales:

- El evacuado debe llegar al escalón más conveniente a su estado, por el medio más rápido, el camino más corto y con la máxima seguridad y comodidad, para alcanzar la cirugía de urgencia lo antes posible.
- El único criterio de prioridad y destino de la evacuación es el de la urgencia sanitaria.
- Para evitar la agravación de las bajas durante la evacuación hay que aplicar una serie de medidas terapéuticas y de estabilización a la baja; es lo que se denomina puesta en estado de evacuación.

---

[188] *Opus cit.* Págs. 73-74.

— Cada escalón sanitario actuará hacia la vanguardia, en apoyo del escalón anterior, evacuando las bajas desde éste hasta sus formaciones sanitarias.
— Las bajas sanitarias serán acompañadas por el personal sanitario preciso para su asistencia y cuidado durante la evacuación[189].

Pero además, atendiendo al momento del conflicto armado y a la intensidad del enfrentamiento en que se produce la baja, podemos distinguir dos tipos de evacuación, la evacuación en ambiente hostil, más conocida como CASEVAC *(Casualty Evacuation)*, y la evacuación Médica o MEDEVAC *(Medical Evacuation)*.

La CASEVAC es propia de la primera línea de las operaciones bélicas y consiste en la recogida de la baja y el alejamiento del ambiente de combate hasta un lugar seguro, que normalmente es el ya citado nido de heridos. Corre a cargo del personal sanitario no facultativo de la unidad que desarrolla la operación militar, que tiene asignadas las funciones de atención táctica de bajas en combate, entre las que se encuentra la primera evacuación a que nos estamos refiriendo. Y ciertamente esta primera atención es importantísima porque de ella en muchos casos depende la supervivencia del herido. Durante esta evacuación al nido de heridos deben acometerse unas intervenciones básicas que, practicadas por sanitarios bien formados, pueden disminuir ampliamente la mortalidad en combate. Dicen unas recomendaciones sanitarias de los Ranger de los Estado Unidos que «si durante el próximo conflicto sabemos a nivel sanitario poner un torniquete y aliviar un neumotórax a tensión, probablemente podremos evitar entre un 70 y 90% de las muertes en combate»[190].

Así pues, se trata de una evacuación no medicalizada pero determinante para el futuro de la atención sanitaria y del propio herido.

En cuanto a la MEDEVAC, consiste en el transporte de bajas sanitarias bajo supervisión facultativa y en un medio de evacuación medicalizado desde el nido de heridos hasta el punto sanitario útil más cercano o bien desde ésta a los escalones superiores[191]. Esas evacuaciones pueden hacerse en medios terrestres (ambulancias) o aéreos, distinguiéndose dos fases, la intrateatro, que

---

[189]   ESTADO MAYOR DE LA DEFENSA: *C-4-001. Doctrina sanitaria conjunta.* Ministerio de Defensa, pág. 63.

[190]   PLAZA TORRES, Juan: La atención táctica de bajas en combate. *Boletín de Infantería de Marina*, n.º 17, 2005, pág. 11.

[191]   MANDO DE ADIESTRAMIENTO Y DOCTRINA DEL EJÉRCITO DE TIERRA: *PD4-216. Sanidad en Operaciones.* Ministerio de Defensa, pág. 3-14.

incluye las evacuaciones hasta los escalones sanitarios en zona de operaciones, y la interteatro, que es la que tiene lugar desde esos escalones a territorio nacional o, temporalmente, a una zona segura[192].

En cuanto a los medios terrestres, se han desarrollado dos tipo de ambulancia, la básica de traslado y la de soporte vital avanzado, dotada con equipamiento adecuado para tal prestación. También están previstos autobuses y trenes ambulancia.

Respecto a los medios aéreos, se utiliza con gran éxito el helicóptero con tripulación compuesta por un oficial médico de vuelo, un oficial enfermero y un sanitario no facultativo. En cuanto a sus capacidades, abarca todo el abanico propio de la medicina de urgencias y emergencias, con especial mención de la enfermedad traumática en un entorno bélico con heridos por arma de fuego y explosivos, además de bajas masivas, civiles adultos, niños y lactantes.

Los militares españoles del Cuerpo de Sanidad han adquirido una gran experiencia en las misiones internacionales en las que han participado, sobre todo en la de Afganistán. Para ellos es imprescindible la formación, entrenamiento y aplicación de conocimientos y técnicas en urgencias y emergencias, soporte vital avanzado cardiológico y traumatológico en combate, asistencia inicial al trauma a nivel prehospitalario o la asistencia a la bajas tácticas de combate. Ello, por supuesto, sin descuidar la formación en materia de medicina y enfermería de vuelo, que incluya entrenamiento con aeronaves con vuelos reales.

Por otra parte, la experiencia ha demostrado las ventajas de la evacuación sanitaria en la forma que está estructurada en los ejércitos españoles, esto es, mediante aeronaves medicalizadas y dotadas del personal sanitario indicado, que permiten realizar un soporte vital avanzado sobre la baja, desde la misma transferencia a las aeronaves. Y, por último, los militares que han servido en estas unidades alertan de la necesidad de normalizar los procedimientos asistenciales y de la creación y consolidación de un cuerpo doctrinal en urgencias y emergencias con normalización multinacional, que permita la interacción de las formaciones sanitarias y su optimización en las zonas de operaciones[193].

[192] ESTADO MAYOR DE LA DEFENSA: *C-4-001. Doctrina sanitaria conjunta Ministerio de Defensa*, pág. 64.
[193] MUNAYCO SÁNCHEZ, Armando J. y otros: Modelo español de MEDEVAC: Experiencia en Afganistán. *Revista Sanidad Militar*, n.º 68-3, septiembre 2012, pág. 184.

6.4. LA ADAPTACIÓN DEL CUERPO MILITAR DE SANIDAD ESPAÑOL A LAS NUEVAS NECESIDADES OPERATIVAS

La moderna concepción del apoyo sanitario en operaciones a que nos hemos referido en el capítulo anterior, ha supuesto un drástico cambio en la misión asistencial del Cuerpo Militar de Sanidad, que ha pasado en relativamente pocos años de encargarse primordialmente de la asistencia sanitaria a los militares y sus familias a hacer lo mismo con las bajas en conflictos armados o situaciones en ambiente hostil. Ello ha generado una serie de disfunciones en su personal que se hace necesario corregir.

La propia organización sanitaria militar española es consciente de la necesidad de reorientación de su política de personal. La mayor parte de los médicos que hoy configuran sus plantillas proceden de una época en la que se primaba la realización de especialidades que hoy tienen escasa o nula aplicación en la nueva organización. Son muy pocos los médicos o enfermeros destinados en unidades operativas que tienen formación como intensivistas o emergencistas, y la mayoría de ellos no realizan funciones relacionadas con las urgencias médicas, sino más bien con la medicina de empresa. Así las cosas, en el año 2014 la Dirección de Sanidad del Ejército de Tierra realizó una encuesta entre sus profesionales, que llevó a las siguientes conclusiones:

a) La edad media de los médicos es muy alta, con una pirámide poblacional invertida.

b) Una gran mayoría cree que está preparada para realizar su misión tanto en territorio nacional como en misiones internacionales, pero considera necesaria una formación suplementaria tanto teórica como práctica y que ésta se realice de forma continuada para adquirir y mantener conocimientos y habilidades.

c) Se considera de interés realizar guardias en urgencias, tanto hospitalarias como extrahospitalarias. Además, se matiza que esta formación debería formar parte de su actividad profesional, similar a los ejercicios de instrucción y adiestramiento del resto de la Fuerza.

d) La telemedicina es considerada como un instrumento de interés, que proporciona una ayuda esencial en la atención de las bajas sanitarias en misiones internacionales. Por otro lado, se cree necesaria una mayor formación en la utilización y posibilidades de la misma.

e) El nivel de idiomas es bajo tanto en Medicina como en Enfermería.

f) Todos tienen una baja actividad asistencial, lo que dificulta mantener un grado de adiestramiento adecuado.

g) Hay algunas labores exentas de interés, muy burocráticas, que hacen que los profesionales busquen otras salidas.

h) Se considera fundamental realizar una formación continuada en emergencias y en idiomas[194].

El Cuerpo está pues necesitado del cambio radical que sus responsables vienen reclamando desde hace tiempo, y que tiene que alcanzar tanto a la reorganización de sus plantillas como a la formación de su personal. En este sentido, la experiencia en operaciones ha demostrado que la organización sanitaria militar requiere, en primer lugar, que se reconsideren las necesidades críticas de sus especialidades, al objeto de que, por un lado, todo médico o enfermero militar pueda actuar como emergencista y como tal reciba formación en urgencias, evacuación sanitaria, telemedicina en campaña o diagnóstico por imagen y, por otro, que las especialidades que puedan alcanzar sean homologadas por el sistema educativo civil y tengan relación con la misión primordial en conflictos, esto es, medicina de urgencia, cirugía traumatológica y politrauma, anestesiología, cuidados intensivos, paliativos, quemados, etc.

Asimismo, es imprescindible que el Cuerpo se dote otra vez del personal auxiliar sanitario de apoyo que perdió en las últimas reformas de la carrera militar, que suprimieron la especialidad en Suboficiales y Tropa, con lo cual hoy día carecen de todo tipo de técnicos en emergencias sanitarias, laboratorio, rayos, hematología, veterinaria, farmacia e incluso auxiliares clínicos o técnicos en reparación de aparataje sanitario; profesionales capacitados con distintas titulaciones sanitarias de formación profesional que tan excelentes servicios prestan en las redes sanitarias civiles y que son absolutamente necesarios para el desarrollo de la actividad sanitaria. A este personal sanitario no facultativo, hay que añadir soldados con especialidad fundamental de Apoyo Sanitario que, con formación y competencias similares a las requeridas en el ámbito civil para el título de Técnico en Emergencias Sanitarias, habrán de estar capacitados para asistir como primeros intervinientes en la cadena de evacuación sanitaria, desarrollando actividades específicas de atención sanitaria, evacuación y traslado de bajas, así como otras actividades relacionadas con la función logística de asistencia sanitaria.

En definitiva, la Sanidad Militar española se encuentra en un momento crucial, en el que necesita adecuar su personal y plantillas a las misiones que

---

[194] SELVA BELLOD, Enrique: Situación actual del Cuerpo Militar de Sanidad. *Revista Ejército*, n.º 885, diciembre 2014, Ministerio de Defensa, págs. 108-112.

tiene asignadas y la organización operativa que ya está desplegando en las zonas de operaciones, para lo cual precisa que se redefinan los perfiles profesionales de su personal facultativo, que se implemente su organización con una plantilla de personal no facultativo suficiente y adecuada y que se articule un procedimiento formativo adecuado y homologado para unos y otros, que optimice sus recursos humanos para conseguir llevar a cabo su labor asistencial en conflictos armados con la máxima eficacia.

7. LA INTERVENCIÓN DE LA CRUZ ROJA Y LAS DEMÁS ORGANIZACIONES DE SOCORRO EN SITUACIONES ACTUALES DE CONFLICTO ARMADO

Aunque las víctimas de las guerras hayan sido objeto de atención a lo largo de la historia, justo es reconocer que desde la creación de la Cruz Roja ha pasado a ser una preocupación prioritaria, debido fundamentalmente a la labor de concienciación que esta organización ha llevado a cabo ante los gobiernos, las fuerzas armadas y la propia ciudadanía. Buena prueba de ello es precisamente el desarrollo de los cuerpos sanitarios militares, que en los últimos años ha sido tan importante que incluso ha conseguido que esa actividad de las organizaciones humanitarias haya pasado en la actualidad a un segundo plano.

Desde su creación, la Cruz Roja ha sufrido una profunda transformación, siendo hoy, ya como Movimiento Internacional, la red humanitaria más grande del mundo al contar con más de 97 millones de voluntarios, colaboradores y personal empleado, y estar presente en 187 países[195].

Su misión es prevenir y aliviar el sufrimiento en todas las circunstancias, particularmente en tiempo de conflicto armado y otras situaciones de urgencia. Está integrado por el Comité Internacional de la Cruz Roja, las Sociedades Nacionales de la Cruz Roja y la Media Luna Roja y la Federación Internacional de Sociedades Nacionales de Cruz Roja y Media Luna Roja.

[195] CICR: *El Movimiento Internacional de la Cruz Roja y la Media Luna Roja de un vistazo* (folleto). CICR, pág. 2.

El Comité Internacional (CICR) es el órgano fundador de la Cruz Roja, de la que nació el Movimiento y por ende todos sus organismos. Con sede en Ginebra, es una organización independiente, privada y neutral, dirigida por un Comité de ciudadanos suizos elegidos por cooptación, comprometidos con la causa humanitaria y con amplia experiencia en asuntos internacionales. Actúa en todo el mundo exclusivamente para proteger y socorrer a las víctimas de los conflictos armados, basando su intervención en la Convención de Ginebra.

Entre sus actividades en zona de conflicto están la búsqueda y asistencia sanitaria a heridos y enfermos civiles y militares, la protección de prisioneros de guerra, la asistencia humanitaria en zona de conflicto, así como también la vigilancia del cumplimiento por los contendientes del derecho internacional humanitario en general y de la Convención de Ginebra en particular.

Para ello, sus delegados visitan hospitales, campamentos, lugares de trabajo, prisiones, campos de refugiados o cualquier otro lugar donde haya heridos, enfermos o cautivos; promueven y supervisan intercambio de heridos, muertos y prisioneros, y hacen llegar ayuda sanitaria y humanitaria a lugares aislados por las hostilidades.

En tiempo de paz, el CICR se encarga del desarrollo y difusión de derecho internacional humanitario, siendo garante, promotor y guardián de los Convenios, ya que el artículo 5 de los Estatutos del Movimiento le asigna el cometido de «asumir las tareas que se le reconocen (a Cruz Roja) en los Convenios de Ginebra, trabajar por la fiel aplicación del derecho internacional humanitario aplicable en los conflictos armados y recibir las quejas relativas a las violaciones alegadas contra dicho derecho».

Desde el año 1990, el Comité Internacional cuenta con el estatuto de observador ante la Asamblea General de Naciones Unidas, lo que le permite expresar su opinión ante la organización en todos los temas humanitarios que se suscitan. También tiene esa condición en las organizaciones regionales más importantes, como el Consejo de Europa, la Organización de Estados Americanos o la Unión Africana[196].

La Federación Internacional de Sociedades Nacionales es un organismo fundado en 1919 para coordinar la asistencia internacional en casos de desastres ajenos a conflictos armados, para lo que colabora con las sociedades nacionales interviniendo en caso de catástrofes y postconflictos en cualquier parte

---

[196]   VALLADARES, Gabriel Pablo: El Comité Internacional de la Cruz Roja (CICR) y su contribución al desarrollo convencional del Derecho Internacional Humanitario en los comienzos del siglo XXI. En *XXXV Curso de Derecho Internacional: «Nuevos Desarrollos del Derecho Internacional en las Américas»*. Organización de Estados Americanos, págs. 277-279.

del mundo con programas de ayuda humanitaria, recuperación, desarrollo, actividades de salud, defensa de los derechos humanos y promoción de valores humanitarios.

En cuanto a las sociedades nacionales, son el componente nacional del Movimiento. Actúan como auxiliares de los poderes públicos de sus respectivos países en el ámbito humanitario interno, prestan socorro en caso de desastre y realizan programas sanitarios y sociales. Además, apoyan en catástrofes en otras partes del mundo, colaborando con la Federación Internacional. Para el Movimiento, la red que forman las sociedades nacionales es su auténtica espina dorsal[197].

Así pues, la Cruz Roja es en la actualidad una organización humanitaria que no sólo socorre a las víctimas de guerra. Es más, dentro de los conflictos armados la asistencia a heridos y enfermos militares ha pasado a un segundo plano. Tanto es así que en sus páginas web, folletos divulgativos y demás instrumentos de difusión y promoción de su actividad no hay fotografías de soldados heridos o enfermos. Toda la asistencia sanitaria se refleja en personas civiles. En este sentido, en el apartado de su web dedicado a las normas para limitar el sufrimiento en la guerra se incluyen 17 fotografías de una serie que, según se dice en la propia página, «ilustra las normas establecidas en los Protocolos adicionales de 1977 a los Convenios de Ginebra» y ninguna es de un militar. Esto evidentemente no quiere decir que no se lleven a cabo actividades para el colectivo militar, pero sí que ya no tienen la importancia de siglos pasados, a buen seguro porque las fuerzas armadas disponen de recursos suficientes para ello.

Por tanto, el papel de actor sanitario que durante siglos venía realizando la Cruz Roja en los teatros de operaciones está siendo desplazado por los cuerpos militares de Sanidad en los conflictos en que intervienen Fuerzas Armadas de países desarrollados, no así evidentemente en los países del Tercer Mundo, en que las más de las veces los conflictos se producen entre guerrillas y facciones que carecen de servicios médicos, con lo que la ayuda de Cruz Roja y otras organizaciones de socorro es todavía fundamental. En Siria, por ejemplo, el CICR está trabajando con unidades móviles y aportando material médico-quirúrgico. La misión en lugares como Alepo ha sido fundamental para la asistencia sanitaria a heridos y enfermos de toda condición[198]. En Yemen, se

---

[197]   CICR: *El Movimiento Internacional de la Cruz Roja y la Media Luna Roja de un vistazo* (folleto). CICR, pág. 5.

[198]   CICR: *Crisis en Siria y la región*. Disponible en: https://www.icrc.org/es/where-we-work/middle-east/siria.

mantiene la asistencia médica en zonas de conflicto como Adén, a pesar del reciente ataque a las oficinas de la subdelegación del Comité. Ucrania, Irak o Nigeria son lugares donde el Comité lleva a cabo directamente actividades de socorro sanitario a heridos y enfermos militares.

Ahora bien, lo que el Comité Internacional mantiene en plena vigencia es la función garantizadora de la aplicación de la Convención. Su labor de intermediación neutral ante los gobiernos contendientes y los propios jefes militares es fundamental para que se respeten los convenios y los derechos de los militares heridos, enfermos y prisioneros de otro bando, amén naturalmente de las condiciones de vida de la población civil que, aunque no sea objeto de este trabajo, es en estos momentos el objetivo básico de su intervención en el conflicto. Sin la auténtica diplomacia humanitaria que supone la mediación de los delegados del Comité, habría muchos más episodios de tortura y exterminio de los que aún se dan en los conflictos actuales.

Y en la misma línea, su labor de dar a conocer el derecho de la Convención se completa, según Sandoz, con la labor de revisión permanente de las normas humanitarias para adecuarlas a las realidades de los conflictos, promoviendo reuniones periódicas de grupos de expertos que reflexionen sobre los problemas de aplicación encontrados y sus posibles soluciones, alentando a los Estados a tomar, en el ámbito nacional, las medidas necesarias para su puesta en práctica y concienciando, en fin, a la comunidad internacional para que profundice en el desarrollo normativo humanitario.

Fruto de esta labor, que no es exclusiva del Comité pero en la que su actuación tiene un indudable peso, han visto la luz varios tratados para la protección de las víctimas, entre los que merece destacarse el de la creación de la Corte Penal Internacional, que tiene competencia para enjuiciar la mayoría de las infracciones calificadas graves en los convenios. El papel del CICR fue fundamental para su creación[199].

Por otra parte, aunque la Cruz Roja es la organización que interviene prioritariamente en asistencia sanitaria en guerras, existen otras sociedades que también tienen una importante presencia. De ellas citaremos en primer lugar a Médicos sin Fronteras, creada en el año 1971 por un grupo de médicos y periodistas escindidos de Cruz Roja.

[199] VALLADARES, Gabriel Pablo: El Comité Internacional de la Cruz Roja (CICR) y su contribución al desarrollo convencional del Derecho Internacional Humanitario en los comienzos del siglo XXI. En *XXXV Curso de Derecho Internacional: «Nuevos Desarrollos del Derecho Internacional en las Américas»*. Organización de Estados Americanos, págs. 299-302.

Con prácticamente los mismos objetivos de ayuda a víctimas de desastres y guerras, su presencia en los actuales conflictos es muy importante. Por poner un ejemplo, en Libia mantuvieron puestos médicos avanzados en zonas de combate como Al Hicha, que estabilizaban a los heridos para su evacuación por ambulancias de la organización a varios hospitales regentados por ella, como el Kasr Ahmed en Misrata o el Ibn Sina, en Sirte. Además proporcionaron a los equipos sanitarios de los contendientes medicamentos y material médico quirúrgico para curas de urgencia[200]. Yemen, Siria, Líbano, Sudán del Sur o Somalia son también objeto de atención por esta organización, que trabaja como Cruz Roja en primera línea de los enfrentamientos.

Por último, existen otras organizaciones no gubernamentales que realizan labores de asistencia a heridos y enfermos militares, aunque ya sin el carácter genérico de las dos anteriores.

Entre ellas hemos de destacar los misioneros de todas las confesiones religiosas, que tienen instalados dispensarios en los lugares más recónditos del mundo, en los que atienden a todos los heridos y enfermos sin preguntar su procedencia o credo. Son esos centros en los que militares y civiles procedentes de primera línea encuentran la asistencia sanitaria que sus propios correligionarios no les dan, porque carecen de medios, y que sus enemigos les niegan como una forma una forma más de exterminio. Y es que cuando los occidentales se van de las zonas de conflicto porque el riesgo es grandísimo, quedan en ellas esos misioneros, insistimos, de todas las religiones, que se resisten a abandonar a su suerte a los damnificados. Como mero ejemplo y sin ánimo de distinguir o primar a ninguno de ellos, pues todos realizan una encomiable labor, citaremos las misiones salesianas, los Salesianos de Don Bosco, que tienen presencia en prácticamente todos los conflictos africanos con excepción de Somalia. Kenia, Mali, los dos Sudanes, República Democrática del Congo y Sierra Leona son países en los que han trabajado y siguen trabajando. Su presencia en campos de refugiados tan grandes y conflictivos como los de Jartum, Daab, Kakuma confirma su decidida vocación de ayuda a los destinatarios de la Convención. Igualmente, su misión de Duékoué en Costa de Marfil fue convertida en 2011 en un campo de refugiados que acogió a todas las personas que allí llegaban huyendo del conflicto y de la masacre, con independencia de su etnia, cultura o religión. En dicho centro, que fue el único lugar seguro en la zona durante la crisis electoral, colaboraron con Cruz Roja y Médicos

---

[200] MÉDICOS SIN FRONTERAS: *Libia: MSF acerca la asistencia a los heridos de guerra.* Disponible en http://www.msf.es/noticia/2011/libia-msf-acerca-asistencia-heridos-guerra.

sin Fronteras para prestar asistencia sanitaria a heridos militares heridos o enfermos de ambos bandos y civiles desplazados. En República Centroafricana han mantenido abierto un dispensario en Galabadja juntamente con Médicos sin Fronteras, en el que se asistía a heridos y enfermos civiles y militares, actuando siempre con absoluto respeto a los Convenios. Por último, decir que las misiones salesianas lideran una campaña para la protección de los niños soldado[201].

En todo caso, las organizaciones no gubernamentales más importantes someten sus actuaciones al Código de conducta que firmaron en 1994 sobre la base de los principios de humanidad, imparcialidad, neutralidad, independencia, carácter voluntario, unidad y universalidad, que siempre han sido inspiradores del CICR. Este denominado Código de Conducta para el Movimiento Internacional de la Cruz Roja y de la Media Luna Roja y las Organizaciones No Gubernamentales en la ayuda en desastres fue elaborado por el Steering Committee for Humanitarian Response (SCHR), organización que agrupa a numerosas ONG entre las que están las más importantes, y tiene como objetivo definir unas normas de conducta y garantizar la independencia, la eficacia y la repercusión de las operaciones de ayuda humanitaria, que en síntesis son las siguientes:

— Lo primero es el deber humanitario.
— La ayuda prestada no está condicionada por la raza, el credo o la nacionalidad de los beneficiarios ni ninguna otra distinción de índole adversa. El orden de prioridad de la asistencia se establece únicamente en función de las necesidades.
— La ayuda no se utilizará para favorecer una determinada opinión política o religiosa.
— Nos empeñaremos en no actuar como instrumentos de política exterior gubernamental.
— Respetaremos la cultura y las costumbres locales.
— Trataremos de fomentar la capacidad para hacer frente a catástrofes utilizando las aptitudes y los medios disponibles a nivel local.
— Se buscará la forma de hacer participar a los beneficiarios de programas en la administración de la ayuda de socorro.
— La ayuda de socorro tendrá por finalidad satisfacer las necesidades básicas y, además, tratar de reducir en el futuro la vulnerabilidad ante los desastres.

[201] Disponible en: http://www.misionessalesianas.org.

— Somos responsables ante aquellos a quienes tratamos de ayudar y ante las personas o las instituciones de las que aceptamos recursos.

— En nuestras actividades de información, publicidad y propaganda, reconoceremos a las víctimas de desastres como seres humanos dignos y no como objetos que inspiran compasión.

Y aunque si bien en el texto del acuerdo se dice que en caso de conflicto armado el Código de Conducta se interpretará y aplicará de conformidad con el Derecho Internacional Humanitario, lo cierto es que en las normas no se alude ni siquiera indirectamente a la atención a las víctimas militares, lo que, juntamente con otros indicadores de la filosofía de su de actuación, llevan a la conclusión de que hoy día la atención sanitaria de las organizaciones de socorro a los heridos militares en zonas de operaciones está en un estrato inferior al de la población civil y es prácticamente residual. Su dedicación a paliar los sufrimientos de los damnificados por los conflictos parece que no deja recursos para intervenir en la asistencia a los militares, una actividad que, en el caso de las organizaciones que la llevan a cabo, incluso parecen querer ocultar, como si fuera negativa para su imagen pública o contraria a su ideario, lo cual entendemos no casa con los principios humanitarios que todas proclaman.

8. CONCLUSIÓN

Ciertamente la guerra es el mayor atentado a la convivencia y ante ella Ética y Derecho adquieren extraordinaria relevancia. Y si bien la consideración básica de exigencia a la persona humana de obrar el bien y evitar el mal quiebra con carácter general en las confrontaciones armadas, no podemos olvidar que éstas deben desarrollarse con arreglo a unos mínimos éticos y legales, entre los que se encuentran el respeto a las personas que ya no intervienen en el conflicto por haber sido heridos en combate o haber enfermado en el transcurso del mismo. Con ello no estamos defendiendo la licitud o ilicitud de la guerra justa, sino el principio de que los necesitados de asistencia sanitaria deben ser atendidos en cualquier circunstancia y condición y que los profesionales de la salud no pueden ser importunados en su misión de aliviar el dolor y devolver la salud a quienes la han perdido.

Ese respeto a los principios de la ética médica en los conflictos, que ha sido transgredido en innumerables ocasiones a lo largo de la historia, dio lugar a la aparición, a finales del siglo XIX, de una incipiente legislación internacional positivizadora de los derechos de los pacientes en los conflictos armados y los correlativos catálogos de derechos y deberes de los profesionales de la salud, que encuentran su máximo reconocimiento en los Convenios de Ginebra y sus protocolos adicionales. Estos tratados también han sido vulnerados infinidad de veces y siguen siéndolo en este momento. Mas con todo, los Convenios de Ginebra siguen siendo el mejor instrumento jurídico para garantizar el respeto a quienes ya no son combatientes o a los que nunca han participado en las hostilidades, imponiendo a las partes en conflicto una serie de obligaciones para con los heridos, enfermos y sanitarios que redundan en beneficio de todos los que se ven envueltos en las guerras. Su contenido conforma un auténtico Estatuto de pacientes y profesionales de la salud.

Los heridos y enfermos militares en conflicto armado tienen, según estos tratados, derecho a que se respete su vida e integridad física en toda circunstancia, a que se les busque y ponga a salvo, a que se les trate humanitariamente y sin otra distinción que el criterio de urgencia médica y a que no se les someta a tortura o experimentación.

Por su parte, los profesionales de la salud tienen derecho a ser respetados y protegidos, a acceder sin trabas a los lugares donde sean necesarios sus servicios, a no ser sancionados por prestar sus servicios con arreglo a la ética y deontología médicas y con independencia del bando o graduación militar de sus pacientes, así como a no ser inducidos a realizar actos contrarios a la ética médica.

Con estas premisas no se minora la desproporción entre el mal que causa cualquier guerra y los beneficios que uno u otro bando puedan conseguir. Ni siquiera se encubre o disimula, porque nada justifica un acto de violencia y mucho menos la profunda inhumanidad que subyace en cualquier conflicto armado. Pero sí al menos se amortiguan sus efectos, devolviendo la esperanza a quienes de otro modo quedarían en el más absoluto desamparo.

BIBLIOGRAFÍA

ABEL, Francesc S. J.: Bioética: un nuevo concepto y una nueva responsabilidad. *Revista Selecciones de Bioética*, 2002. Pontificia Universidad Javeriana. Bogotá.

ABRIL STOFFELS, Ruth: La asistencia humanitaria y los principios jurídicos recogidos en el Derecho Internacional Humanitario. *Revista de la Facultad de Derecho de la Universidad Complutense*, n.º 89, 1998.

ABRIL STOFFELS, Ruth: *La asistencia humanitaria en los conflictos armados*. Tirant lo Blanch, Valencia, 2001.

ABRISKETA, Joana: *Derechos humanos y acción humanitaria*. Alberdania S. L.

ALBALADEJO LÓPEZ, Pedro: *Derecho Civil I. Introducción y parte general*. Volumen primero. Introducción y derecho de la persona. José M.ª Boch Editor.

ALLI TURRILLAS, Juan Cruz: *La profesión militar*. INAP.

ALONSO, José Ramón: *Metralla en la cabeza*. Disponible en http://jralonso.es/2015/04/29/metralla-en-la-cabeza/.

AMEGULLO CATALÁN, José: Médicos militares en el Role 1 de Afganistán. *Revista Ejército*, n.º 853.

AQUINO, Tomás de: *Suma Teológica. Biblioteca de autores cristianos*, vol. III, Parte II-II a, págs. 337-341.

ASOCIACIÓN MÉDICA MUNDIAL: *Manual de Ética Médica*. Asociación Médica Mundial, 2009.

ASOCIACIÓN MÉDICA MUNDIAL: *Regulaciones en tiempo de conflicto armado*. Manual de Políticas de la AMM. Asociación Médica Mundial.

BEAUCHAMPS, Tom y CHILDRESS, James: *Principios de Ética Biomédica*. Masson.

CÁCERES BRUN, Joaquín: *Manual Básico de Derechos Humanos y Derecho internacional Humanitario*. Cruz Roja Española, Madrid, 2003.

CAMPS Victoria: Paternalismo y bien común. *Cuadernos de Filosofía del derecho*, n.º 5, 1988. Doxa.

CASADO DA ROCHA, Antonio: *Bioética para legos. Una introducción a la ética asistencial*. Plaza y Valdés.

CASANOVAS Y LA ROSA, Oriol: VII Derecho de los conflictos armados. Capítulos XLIII y XLIV del libro *Instituciones de Derecho Internacional Público* de Manuel Díez de Velasco, Ed. Tecnos, Madrid, duodécima edición.

CHAMORRO FERNÁNDEZ, A. J. y MARCOS MARTÍN, M.: Revisión clásica y revisión sistemática. En *Guía para la elaboración de trabajos científicos*. Mirón-Canelo Editor.

CICR: *Los Principios Fundamentales de la Cruz Roja y de la Media Luna Roja.* CICR, Ginebra, 1996.

CICR: *Derecho Internacional Humanitario: Respuestas a sus preguntas.* CICR, Ginebra, 1998.

CICR: Comité Internacional de la Cruz Roja: *Acción 2014 y perspectivas 2015.*

CICR: *Boletín Asistencia de salud en peligro.* Enero-junio 2015.

CICR: *Colombia: situación humanitaria. Acción 2014 y perspectivas 2015.*

CICR: *Comentario del Protocolo adicional I a los Convenios de Ginebra de 1949.* Plaza y Janés Editores.

CICR: *Crisis en Siria y la región.* Disponible en: https://www.icrc.org/es/where-we-work/middle-east/siria.

CICR: *El Movimiento Internacional de la Cruz Roja y la Media Luna Roja de un vistazo* (folleto).

CICR: *Los convenios de Ginebra del 12 de agosto de 1949.*

DE CURREA-LUGO, Víctor: Generalidades del Derecho Internacional Humanitario. *Revista Heraldo Médico*, volumen XXIII, n.º 228. En encolombia. com/medicina/revistas-medicas/heraldo-medico/vol-2322801/ heraldo-2322801generalidades/.

DE LA OSADA, A.: Ya llegan de nuevo las balas. *El País*, 25 de mayo de 2015.

DOPPLER, Bruno: *El Derecho de la guerra. Cuadernos pedagógicos para instructores.* CICR, 1994.

ESTADO MAYOR DE LA DEFENSA: *C-4-001. Doctrina sanitaria conjunta.* Ministerio de Defensa.

EVERLIN, P. H.: *Identificación de las aeronaves sanitarias y de los buques hospitales y de los buques sanitarios protegidos por los Convenios de Ginebra de 12 de agosto de 1949.* Separata de la *Revista Internacional de la Cruz Roja*, noviembre-diciembre, 1982.

EXPÓSITO MONTERO, José Luis: Urgencias de campaña en el oeste afgano. *Revista Española de Defensa*, enero 2014.

DUNNANT, Henry: *Un recuerdo de Solferino.* Comité Internacional de la Cruz Roja.

FADEN, Ruth; BEAUCHAMP, Tom y KING, Nancy: *Historia y teoría del consentimiento informado.* Oxford University Press, 1986.

FERNÁNDEZ-FLORES Y DE FUNES, José Luis: *El derecho de los conflictos armados: de iure belli, el derecho del la guerra: el derecho internacional humanitario, el derecho humanitario bélico*. Ministerio de Defensa, 2002.

FERRER GELABER, Sandra: *Del paternalismo a la autonomía, reflexiones*. En hppt: Médicos y pacientes.com. Consejo general de Colegios Oficiales de Médicos de España, n.º 1720 de 21 de enero de 2015.

FERRER LUES, Marcela: *Equidad y Justicia en salud. Implicaciones para la bioética*. Acta Bioethica 2003.

FERRO, María; MOLINA, Luzcarían y RODRÍGUEZ, William A.: La Bioética y sus principios. *Acta Odontológica Venezolana*, vol. 47-2. 2009.

GAFO, Javier: *Aborto: 10 palabras claves en bioética*. Verbo Divino, págs. 44-46.

GARCÍA GONZÁLEZ, José Antonio: Sobre la sanidad militar. *Revista Atenea*, n.º 12, 2009. Empresa i2v.

GARCÍA MANGAS, Araceli: *Conflictos armados internos y derecho internacional humanitario*. Ediciones Universidad de Salamanca.

GÓMEZ RODRÍGUEZ, Luis: *Los hijos de Asclepio. Asistencia sanitaria en guerras y catástrofes*. Repositorio Uned.

GÓMEZ SANCHO, Marcos (coordinador): *Los valores de la medicina en el siglo XXI*. Organización Médica Colegial de España.

GÓMEZ ULLA, Mariano: *Discurso de ingreso en la Real Academia de Medicina*. Instituto de España.

GÓMEZ-ULLATE RASINES, Susana: Historia de los derechos de los pacientes. *Revista Derecho UNED*, n.º 15, 2014.

GRACIA, Diego: *Como arqueros al blanco. Estudios de Bioética*. Edición de José Lázaro. Tria Castela, Madrid.

GRACIA, Diego: *Procedimientos de decisión en ética clínica*. Eudema, Madrid.

GROCIO, Hugo: *Del derecho de la guerra y de la paz*, tomo I, Libro 1.º.

GUILLERMAND, Jean: Contribución de los médicos de los ejércitos a la génesis del derecho humanitario. *Revista Internacional de la Cruz Roja*, 14.

HERNÁNDEZ SUÁREZ-LLANOS, Francisco Javier: *La exención por obediencia jerárquica en el derecho penal español, comparado e internacional*. Instituto Universitario General Gutiérrez Mellado de Investigación sobre la Paz, la Seguridad y la Defensa.

HOBBES, Thomas: *Elementos del derecho natural y político*. Alianza Editorial.

HOBBES, Thomas: *Tratado sobre el ciudadano*. Edición de Joaquín Rodríguez Feo. Universidad Nacional de Educación a Distancia, Madrid.

HOBBES, Thomas: *Leviatán o la materia, forma y poder de una república eclesiástica y civil*. Servei de Publications Universitat Valencia.

KALSHOVEN, Frits y ZEGVELD, Liesbeth: *Restricciones en la conducción de la guerra*. Introducción al Derecho internacional humanitario, CICR, (3.ª edición), Ginebra, 2001.

KANT, Inmanuel: *Sobre la paz perpetua*. Segundo artículo definitivo de la paz perpetua. Alianza Editorial.

LAÍN ENTRALGO, P.: *La relación médico-enfermo: Historia y Teoría*. Madrid, Alianza, 1983.

LAÍN ENTRALGO, Pedro: *Historia de la medicina*. Salvat editores.

LAVADOS MONTES, Claudio y GAJARDO UGÁ, Alejandra: *El Principio de Justicia y la Salud en Chile*. Acta Bioethica 2008.

LÁZARO, José (Editor): *Como arqueros al blanco*, Editorial TriaCastela, 2004.

LÁZARO, José y GRACIA, Diego: *La relación médico-enfermo a través de la historia*. Anales del Sistema Sanitario de Navarra, Vol. 29, 2008.

LLAMBIAS, Jorge Joaquín: *Introducción al Derecho Civil*. Perrot.

LÓPEZ EIRE, Pedro: *Homero. La Odisea*. Austral.

LÓPEZ MARTÍN, Sixto: *Ética y Deontología Médica*. Editorial Marban Libros, 2011.

MANDO DE ADIESTRAMIENTO Y DOCTRINA DEL EJÉRCITO DE TIERRA: *PD4-216. Sanidad en Operaciones*. Ministerio de Defensa.

MANDO DE ADIESTRAMIENTO Y DOCTRINA: *Manual de Enseñanza ME7-011 (Módulo de formación militar básica del Ejército de Tierra)*. Ministerio de Defensa.

MANGAS MARTÍN, Araceli: *Conflictos armados internos y Derecho internacional humanitario*. Universidad de Salamanca, 1992.

MARTÍNEZ-CALCERRADA, Luis: *La sanidad ante las nuevas tendencias jurisprudenciales. Aspectos civiles*. Libro de Actas IV Congreso Nacional de Derecho Sanitario. Fundación Mapfre Medicina.

MAZO ÁLVAREZ, Héctor: La Autonomía: principio ético contemporáneo. *Revista Colombiana Ciencias Sociales*, vol. 3, 2012.

MÉDICOS SIN FRONTERAS: *Libia: MSF acerca la asistencia a los heridos de guerra*. Disponible en http://www.msf.es/noticia/2011/libia-msf-acerca-asistencia-heridos-guerra.

MELO MORENO, Vladimir: *Identidades 11: sociales*. Norma.

MINISTERIO DE DEFENSA: *Estadística de personal militar de carrera de las FAS, de la categoría de Oficial General, Oficial y Suboficial de las Fas y de personal militar de carrera del Cuerpo de la Guardia Civil*. Secretaría General Técnica del Ministerio de Defensa, 2013.

MINISTERIO DE DEFENSA: *Estadística de Militar de Complemento, Militar de Tropa y Marinería y Reservista Voluntario*. Secretaría General Técnica del Ministerio de Defensa, 2013.

MIR TUBAU, Joan y BUSQUETS ALIBER, Ester: Comentario del libro *Principios de Ética Biomédica*, de Beauchamp y Childress. *Revista Bioètica & Debat*, vol. 17, n.º 64, sept.-oct. 2011.

MONÉS XIOL, Joan (coordinador): *Manual de Ética y Deontología Médica*. Organización Médica Colegial de España.

MONSERRAT, Salvador: *La Medicina militar a través de los siglos*. Servicio Histórico Militar.

MONTESQUIEU, Barón de (Secondat, Charles Luis): *Del espíritu de las Leyes*. Alianza Editorial.

MULINEN, Frédéric de: *Manual sobre el Derecho de la guerra para las Fuerzas Armadas*. CICR, Ginebra, 1991.

MUNAYCO SÁNCHEZ, A. J.; NAVARRO SUAY, R. y DE NICOLÁS ÁLVAREZ, M. A.: Modelo español de MEDEVAC: Experiencia en Afganistán. *Revista Sanidad Militar*, n.º 68-3.

MUÑOZ GARRIDO, Rafael: Eutanasia. Aspectos legales. *Sal Terrae*. Revista de Teología Pastoral, 2001.

MUÑOZ GARRIDO, Rafael: Comparecencia ante la comisión especial de estudios sobre la eutanasia. *Boletín Oficial de las Cortes Generales*. Diario de Sesiones del Senado. VI Legislatura. Comisiones.

NAVARRO SUAY, Ricardo: *Bajas por armas de fuego y explosivos*. Ministerio de Defensa.

OLASO JUNYEN, Luis María: *Curso de Introducción al Derecho. Introducción filosófica al Derecho*. Universidad católica Andrés Bello, Caracas.

ORGANIZACIÓN MÉDICA COLEGIAL DE ESPAÑA: *Manual de ética y deontología médica*. Editorial OMC, 2012.

OTERO SOLANA, Vicente: *La normativa de protección y actuación del personal y medios sanitarios en los conflictos armados*. Ministerio de Defensa.

PALLÍ BONET, J.: *Aristóteles. Ética a Nicómaco*. Gredos, Madrid.

PELLEGRINO, Edmundo: Ethics and the Moral Center of the Medical Enterprise. *Bulletin of the New York Academy of Medicine*, n.º 54, 1978.

PICTET, Jean: *Desarrollo y principios del Derecho Internacional Humanitario*. Instituto Henry Dunant, Ginebra, 1986.

POSTIGO SOLANA, Elena: *Diccionario de Bioética*, (dir. Carlos Simón Vázquez). Montecarmelo, págs. 108-117.

POTTER, Van Rensselaer: Bioethics: La ciencia de la supervivencia. *Revista Perspectives in Biology and Medicine*, 1970.

RAMÓN CHORNET, Consuelo: El 50 aniversario de los Convenios de Ginebra y los conflictos armados en un mundo inestable. En *Problemas actuales del Derecho Internacional Humanitario: V Jornadas de Derecho Internacional Humanitario.* Universidad de Valencia.

RENARD, Georges: *El Derecho, la Justicia y la Voluntad.* Desclée.

REY MARCOS, Francisco y De CURREA LUGO, Víctor: *El debate humanitario.* Icaria Editorial.

RODRIGO SUAY, Ángel Rodrigo y otros: Despliegue y capacidades sanitarias en la región oeste de Afganistán (provincia de Badghis y Herat) de agosto a noviembre 2012. *Revista Sanidad Militar*, n.º 69, 2013.

RODRÍGUEZ JIMÉNEZ, José Luis: El EMAT en misiones en el exterior. *Revista Atenea*, n.º 12, 2009. Empresa i2v.

RODRÍGUEZ JIMÉNEZ, José L.: La misión de la sanidad militar española en Vietnam del Sur (1966-1971). *Revista WarHeat Internacional*, vol. 16, n.º 119, 2013.

RODRÍGUEZ MOLINERO, Marcelino: Perfil general del Derecho Médico. *Anuario de Filosofía del Derecho XII.* Ministerio de Justicia, BOE, Sociedad española de Filosofía Jurídica y Política, 1995.

RODRÍGUEZ VILLASANTE Y PRIETO, José Luis (coord.): *Derecho Internacional Humanitario.* Tirant lo Blanch, Valencia, 2002.

RODRÍGUEZ VILLASANTE Y PRIETO, José Luis (coord.): *El Derecho Internacional Humanitario ante los retos de los conflictos armados actuales.* Cruz Roja Española y Fundación Rafael del Pino, ed. Marcial Pons, Madrid-Barcelona, 2006.

RODRÍGUEZ VILLASANTE Y PRIETO, José Luis: La protección del «personal humanitario» por el Derecho Internacional Humanitario en los conflictos armados actuales. *Anuario de Acción Humanitaria*, 2010. Universidad de Deusto.

ROUSSEAU, Jean Jacques: *El contrato social.* Edición de M.ª José Villaverde. Itsmo.

ROY, David: La Bioétique. Une responsabilité nouvelle pour le contrôle d'un nouveau povoir. *Revista Relations*, vol. 36, n.º 420, 1976.

RUIZ REY, Fernando: Calidad de vida en medicina: Problemas conceptuales y consideraciones éticas. II. Una mirada a la ética. Juramento Hipocrático Raleigh. *Psicología. Com.* Revista internacional on line, n.º 11, vol. 2, 2007.

SAN AGUSTÍN: *Obras Completas. Tomo XXXI Escritos antimaniqueos (2.º). Réplica a Fausto, el maniqueo. Libro XXII.* Biblioteca de Autores Cristianos.

SANGÜESA CABEZUDO, María: Autonomía del paciente. Consentimiento informado. *Revista de Jurisprudencia Lefrebre. El Derecho*, n.º 1, 2012.

SEOANE, José Antonio: La relación clínica en el siglo XXI: cuestiones médicas, éticas y jurídicas. *Revista Derecho y Salud*, vol. 16, extra 1, 2008.

SHERIST, Moshe: *Medicina en la era Nazi. Yad Vashem.* Escuela Internacional de Estudios del Holocausto. Disponible en http://www.yadvashem.org/.

SINOUÉ, Gilbert: *Avicena o la ruta de Isfahán*. Zeta bolsillo.

SPITZ, Vivien: *Doctores del infierno*. Editorial Tempus, 2009.

THOMPSON GARCÍA, Julia: *Los principios de la ética biomédica*. Sociedad Colombiana de Pediatría. Fascículo Precop. Módulo 4, 2006.

TOMÁS GARRIDO, Gloria María (coordinadora): *Manual de bioética*. Editorial Ariel, 2001.

VALLADARES, Gabriel Pablo: El Comité Internacional de la Cruz Roja (CICR) y su contribución al desarrollo convencional del Derecho Internacional Humanitario en los comienzos del siglo XXI. En *XXXV Curso de Derecho Internacional: «Nuevos Desarrollos del Derecho Internacional en las Américas»*. Organización de Estados Americanos.

VITORIA, Francisco de: *Relecciones sobre los Indios y el Derecho de la Guerra*. Colección Austral. Espasa Calpe.

VV. AA.: *Comentario del Protocolo del 8 de junio de 1977 adicional a los Convenios de Ginebra del 12 de agosto de 1949, relativo a la protección de las víctimas de los conflictos armados internacionales (Protocolo I), Tomos I y II*. Comité Internacional de la Cruz Roja y Plaza y Janés Editores Colombia, Santa Fé de Bogotá, 2001.

VV. AA.: *Comentario del Protocolo del 8 de junio de 1977 adicional a los Convenios de Ginebra del 12 de agosto de 1949, relativo a la protección de las víctimas de los conflictos armados internacionales (Protocolo I), Tomos I y II*. Comité Internacional de la Cruz Roja y Plaza y Janés Editores Colombia, Santa Fe de Bogotá, 2001. Hay también versión española del Comentario del Protocolo II y del artículo 3 de los Convenios de Ginebra.

WIESEL, Elie: Sin conciencia (Without Conscience). En *The New England Journal of Medicine*, abril, 2005.

APÉNDICE

50 años del Regimiento de Ingenieros en Salamanca[*]

En la España de la segunda mitad del siglo XX, salvo excepciones, no existía tradición de relación entre ciudades y unidades militares. Por lo general los Regimientos vivían de espaldas a los lugares donde se ubicaban y no vamos a entrar ahora en un análisis estéril de las razones. Decir esto es constatar una realidad.

La relación entre los ejércitos y la sociedad civil no la guardaban las unidades como tales, sino el servicio militar obligatorio. Desde lo que hoy sería una herramienta de análisis sociológico —a donde sólo la literatura se ha acercado, por cierto—, resulta que muchos jóvenes hacían la mili fuera de las ciudades en las que nacían, crecían y organizaban su vida. Pues bien, ya desde el mismo sorteo los chicos no se preguntaban por el Regimiento en que les tocaba servir, sino en si lo harían en España o en África. Ya incorporados a sus destinos, los soldados de reemplazo establecían poco a poco unos lazos de unión con sus compañeros y superiores directos, que en muchos casos se prolongaban toda la vida. Pero ese vínculo, que generalmente nacía en el ámbito de su compañía cuando no de su pelotón —otra vez la dichosa tendencia española a lo reducido, a lo cercano—, en lo relativo a la institución militar con mayúsculas no forjaba la querencia a la unidad de destino sino a lo tangible, al Cuartel en el que se permanecía, a las piedras, en definitiva; ese lugar de vivencias y

[*] Trabajo realizado por Julián Sánchez Esteban y Aníbal Lozano Jiménez.

experiencias, en que lo militar y lo personal confluían durante nueve, doce o hasta veinticuatro meses.

No podemos decir lo mismo sin embargo de Salamanca, y ello porque desde hace muchos años el conocido popularmente como Cuartel de la Plaza de Toros es para los salmantinos también el Cuartel de Ingenieros, asociando así de forma indisoluble piedra y Regimiento, edificio y Arma. Es éste sin duda uno de los pocos casos en los que un Regimiento español ha enraizado en la ciudad en que se ubica de tal manera que incluso en medios militares es conocido coloquialmente con el nombre de la localidad. Los Ingenieros han paseado el nombre de la provincia por todo el mundo, poniendo en su Regimiento la marca de Salamanca como reflejo del alma charra que le preside y alienta.

Esta extraña simbiosis arranca en 1966. Nada más empezar el año, el denominado Regimiento de Zapadores n.º 1 para Cuerpo de Ejército, que estaba en el campamento de Carabanchel, comenzó su traslado a Salamanca para sustituir a la desaparecida Agrupación Mixta de Ingenieros de la División de Infantería «Oviedo 71» que la reorganización del Ejército terminaba de enterrar. Fue en ese momento cuando comenzó a llamarse Regimiento de Zapadores para Cuerpo de Ejército, denominación que se sustituyó en 1976 por la de Regimiento de Zapadores de la Reserva General, y que volvió a cambiarse en mayo de 1998 por la de Regimiento de Especialidades de Ingenieros n.º 11 con la que lo conocemos en la actualidad. Tres nombres para un Regimiento, que, sin embargo, nunca ha dejado de ser el mismo, el de Salamanca.

Así pues, el Regimiento de Ingenieros cumple cincuenta años y siempre ha ocupado el magnífico cuartel de la Plaza de Toros, un edificio que, proyectado por un ingeniero militar, D. Felipe Fernández López, constituye todo un homenaje al Palacio de Monterrey como muestra de la vocación salmantina de su inquilino.

En todo ese tiempo han pasado muchos soldados por sus filas, conviviendo además con gentes de toda condición. Numerosos son los analistas y sociólogos que concluyen en que la mili era el único momento en que todos los hombres de España podían sentirse verdaderamente iguales, aunque al cabo de su servicio no volvieran a tener contacto ni con la gran mayoría de sus compañeros ni, por supuesto, con su unidad. Y es verdad. Por entonces, el servicio militar colocaba en la misma camareta a médicos y albañiles, dependientes y jornaleros, artistas y tramoyistas, que llegaban a las unidades haciendo un paréntesis en sus vidas para convivir un tiempo con unos compañeros de reemplazo a los que no conocían y con los que terminarían compartiéndolo todo, estancia, trabajo y solaz. Pero, además, en muchos casos recibiendo una formación básica de la que carecían. De esa época son los cursos de alfabetización y formación básica que impartían los soldados mejor preparados no sólo a quienes no sabían leer o escribir, sino incluso a los que no tenían el certificado de escolaridad o el Graduado Escolar. Esto, a lo que hoy daríamos sin duda algún nombre rimbombante y le colocaríamos como adjetivo algún sinónimo de solidario, era el simple afán de unos jóvenes de enseñar a sus compañeros desde la premisa tan sencilla como palmaria de fomentar entre los soldados el compañerismo, la amistad y la vocación de servicio y ayuda a los demás, sin olvidar naturalmente el objetivo de conseguir que todo el que pasara por un cuartel se fuera de él un poco más culto.

De los años 60 es la instauración de la llamada PPE (Promoción Profesional del Ejército), con los que muchos aprendieron un oficio con el que afrontar su futuro. Precisamente esta campaña tuvo mucha incidencia en el Regimiento de Ingenieros, porque al ser una unidad dedicada a hacer obras de construcción, muchos soldados de reemplazo aprendieron el manejo de maquinaria pesada, con lo que adquirieron una capacitación que les sirvió para orientar muy satisfactoriamente su futuro profesional. Además, en el Regimiento se impartían unos cursos de formación en instalaciones de telefonía, y quienes los hacían ingresaban en la Compañía Telefónica. Esto hizo que muchos salmantinos cumplieran en él su servicio militar como voluntarios.

Todavía en los últimos años de milicia obligatoria, la labor formativa siguió siendo una de las más importantes actividades del Regimiento salmantino, que llegó a homologarse como centro colaborador del INEM para impartir cursos formativos oficiales relacionados con la construcción que incluían módulos de seguridad industrial y laboral y búsqueda activa de empleo. De este modo, el Regimiento ha participado activamente con una tarea desconocida para el gran público, de una solidaria actitud de inculcar la enseñanza en la formación humana.

Sea como fuere, lo cierto es que, durante los primeros años de presencia del Regimiento en la ciudad, el devenir ordinario transcurría entre las actividades propiamente militares y la formación académica y en valores de los soldados de reemplazo que anualmente pasaban por sus Batallones. La relación institucional en ese tiempo era escasa o nula como sucedía en la mayor parte de las ciudades con guarnición, en las que los militares se mantenían alejados de la sociedad civil, unas veces por el concepto de autoritarismo que imponía la doctrina existente y otras por el endemismo que imperaba en un colectivo que estructuraba su vida en torno a los cuarteles. A ello sin duda ayudaban las ventajas sociales de las que disponían —casas militares, clubs, economatos, etc.—, que sin duda eran utilizadas por el régimen para minorar cuando no enmascarar el más que precario sistema retributivo que se aplicaba a los uniformados y el distanciamiento social entre civiles y militares. El alejamiento pues que imperaba en la Institución marcó la tónica de la presencia del Regimiento en Salamanca durante sus primeros años, algo en lo que también influía el hecho de que el Gobierno Militar estuviera ubicado en el vecino Acuartelamiento Julián Sánchez «el Charro», donde primero Infantería y luego Caballería disputaban a los de Ingenieros el protagonismo militar.

La llegada de la democracia cambió sin duda la orientación. Los tiempos de transición y, también, de Constitución, terminaron por entrar en los cuarteles y las Fuerzas Armadas y la casi totalidad de sus miembros entendieron el cambio como ninguna otra institución del Estado, subordinándose desde el primer momento y sin ambages a los mandatos de la Ley de Leyes. Esto es muy importante recalcarlo porque los innegables intentos involucionistas fueron absolutamente minoritarios. Los militares en general, y los salmantinos en particular, estuvieron en todo momento al lado de quien debían estar, la Constitución y la Ley.

La creación del Ministerio de Defensa en el año 1977, y la consiguiente supresión de los ministerios militares, pronto pone en marcha una operación de imagen de las Fuerzas Armadas a la que no fue ajeno el Cuartel de la Plaza de Toros. Muy pronto los responsables de el nuevo organismo rector se dieron cuenta de la necesidad de acercar el Ejército a la sociedad y mostrarlo como una institución moderna y adaptada a los nuevos tiempos, programando para ello actividades de todo tipo, que iban desde jornadas de puertas abiertas y exposiciones, a salidas de instrucción abiertas a la presencia de escolares y vecinos.

Pues bien. Ya en esta fase comenzó a verse el carácter salmantino del Regimiento de Ingenieros, que realizaba sus maniobras por los pueblos de la provincia mezclándose con la gente, conviviendo con los vecinos y ayudando en lo que se le requería. Y es que como una de sus más importantes misiones en un conflicto era y es favorecer la movilidad de las fuerzas mediante el acondicionamiento de las vías de comunicación, las salidas de instrucción eran aprovechadas para reparar caminos de aquellos pequeños municipios que por sus escasos recursos no podían acometer obras en todas esas pequeñas vías que discurrían por ellos. Pueblos como Galisancho, Valdelacasa, Pereña o La Sagrada, por poner algún ejemplo, dan fe de esa voluntad de aprovechar los recursos y la instrucción para mejorar las infraestructuras más modestas de aquellas zonas.

En todas aquellas modestas pero importantes salidas se fue acuñando una relación fluida entre el Regimiento y la provincia, que poco a poco fue desmontando la idea de desapego entre militares y civiles que, justo es reconocerlo, ya venía decayendo en los últimos años del franquismo, sin duda por el esfuerzo de los militares más jóvenes de acercarse a la sociedad. En nuestra Salamanca, pues, el final de los años 70 hizo visibles para la ciudadanía a los ingenieros de la Plaza de Toros.

Mas lo que sin duda ha hecho que los salmantinos sientan el Regimiento como suyo, se enorgullezcan de sus éxitos y presuman de él ha sido su participación en lo que ahora todos conocemos como ayuda humanitaria y que por entonces no era más que colaboración con las autoridades civiles. Aunque la utilización de las capacidades del Regimiento para ayudar a los pequeños municipios era una constante desde su llegada a la provincia, fue sin duda su participación en las catástrofes de principios de los ochenta lo que dio más relevancia a su decidida vocación de servicio a la población. Ése ha sido un factor humano de absoluta veracidad.

Las inundaciones de Levante de 1982, o sea, la famosa rotura de la presa de Tous, que provocó la mayor riada de España, hizo que el Regimiento comenzara a conocerse como «los Ingenieros de Salamanca». En realidad, ésa ha sido una clave en su cercanía humana. En la operación de Valencia se demostró que en materia de apoyo en catástrofes la unidad iba ser vital y que su participación iba a ser sinónimo de eficacia. Y esto lo supieron también los salmantinos, que a partir de entonces miraron al cuartel de la Plaza de Toros de otro modo. Hasta entonces para los vecinos el cuartel era conocido como el de los telefónicos. Desde ese momento sus militares pasaron a ser los de Ingenieros.

El cambio es fundamental, la imagen, completamente distinta, porque en ese momento comienza el reconocimiento ciudadano. Es la impresión de que los militares sirven para algo y que no están ociosos en los cuarteles. Y con esto no decimos que ello fuera así, sino que los ciudadanos «tenían la percepción de que era así», que es distinto.

Al año siguiente la idea se afianzó. Ése fue el año de las inundaciones de Bilbao y el Regimiento acudió a la zona para ayudar a la población civil. La operación fue similar y el Regimiento siguió alimentando su prestigio. Reparación de puentes, caminos y carreteras, limpieza, apoyo a los particulares... todo el personal y material de la unidad al servicio de los que estaban sufriendo, al lado de quienes lo necesitaban. Horas y horas de esfuerzo, de trabajo sin descanso, soportando las mismas penalidades y con la misma intensidad que quienes estaban defendiendo sus casas, sus propiedades. Y todo a cambio de un apretón de manos, de una palabra amable, de una sonrisa de agradecimiento.

Y, por supuesto, presumiendo constantemente de salmantinismo, lo que nos lleva a la repercusión que aquellos trabajos tuvieron en nuestra provincia.

A nadie escapa que en Vizcaya vivían entonces como viven hoy muchos salmantinos, que cuando hablaban con sus familiares contaban lo que hacían los del cuartel de la Plaza de Toros. Ese matiz es importantísimo, porque mientras que en los ámbitos castrenses se destacaba el papel que jugaba en la operación el Regimiento de Zapadores, en Salamanca se hablaba de los Ingenieros de la Plaza de Toros, que poco a poco, por qué no decirlo, estaban superando en prestigio a los militares de Caballería e incluso a los de Matacán. Y es que sin ser esto una competición, a nivel institucional y popular la partida comenzaba a ganarse en el Arroquia.

Ciertamente por sus misiones militares de apoyo a movilidad y castrametación, su utilización en tareas de ayuda a la población civil está más indicada que el resto de las unidades militares. Pero no lo es menos que la decidida vocación de unirse a la provincia y sus gentes no ha tenido parangón. Pocas unidades militares españolas, por no decir que ninguna, han buscado, han fomentado y han conseguido la simbiosis que alcanza la relación entre Salamanca y sus Ingenieros. Y todo ha tenido un motor, la cultura. No podía ser otro en Salamanca.

No cabe duda de que la llamada movida cultural, de tantos signos, malos, peores, y también buenos y hermosos, llegó también a los cuarteles. En 1989 la oposición al servicio militar estaba en plena efervescencia. Su impopularidad crecía tanto que era necesario hacer algo para contrarrestarla. Se pensó entonces que en cada Región Militar se hiciera un Festival del Soldado, que diera a conocer las actividades educativas, culturales y recreativas que se hacían en los cuarteles. Y, casualidad o no, lo cierto es que se decidió que en esta zona se hiciera en Salamanca y en el Cuartel de Ingenieros.

Pues bien. Al equipo encargado de llevar adelante el evento no se le ocurrió mejor idea que convocar una reunión con los departamentos de cultura del Ayuntamiento de la ciudad, Junta de Castilla y León, Diputación de Salamanca y Caja de Ahorros, cuya obra social y cultural era por entonces imprescindible, probablemente para ver qué podían conseguir. Bendita idea. A la reunión acudieron todos los convocados entre sorprendidos y expectantes. Ninguno de ellos había trabajado en su área con militares y, por supuesto, ninguno sabía cómo abordar la cuestión. Y así, entre todos elaboraron un programa para sacar el proyecto adelante. Y vaya si salió.

Durante quince días el cuartel estuvo abierto al público. Por la mañana, visitas concertadas de colegios, asociaciones y grupos de ciudadanos y por la tarde, entrada libre. Actividades culturales y lúdicas fundieron la sociedad civil con el Ejército, y la ciudadanía entró por primera vez en el recinto como quien entra en algo suyo, que le es propio y no ajeno y mucho menos, secreto. Los chicos que por la mañana iban con sus colegios, por la tarde volvían con sus padres y hermanos. Ahí estuvo el éxito, tanto popular como institucional, porque a partir de entonces el Regimiento fue una institución más de la ciudad y los contactos se hicieron permanentes y no sólo entre autoridades, sino también entre funcionarios civiles y militares.

¿Qué había sucedido? Pues sencillamente que unos y otros perdieron el miedo de encontrarse. Los civiles entraban en el cuartel de una unidad dedicada casi con exclusividad al trabajo de la construcción. Allí no había, ni hay, carros de combate, cañones de largo alcance, orugas con armas sofisticadas, y sí, en cambio, excavadoras, motoniveladoras, empujadoras, rodillos, máquinas de asfaltado, hormigoneras y un almacén de maquinaria y herramientas dispuesto para desactivar una mina, tender un puente y jugarse la vida como cascos azules con motivo de la ayuda al pueblo kurdo o a Bosnia-Herzegovina.

Comenzó en ese momento el despegue institucional del Regimiento en la provincia y lo hacía de la mejor manera posible, partiendo del reconocimiento de los ciudadanos, razón y motor de cualquier servicio público. Fueron los propios vecinos, los salmantinos, quienes reclamaron para el Regimiento, para su Regimiento, la posición pública que por su servicio le correspondía. Conocerlo y quererlo fue simultáneo.

Desde ese momento, cada noticia, cada operación en el exterior, cada participación en una misión internacional fue seguida como propia. Basta ojear los anuarios de los periódicos salmantinos para comprender cuanto decimos, puesto que las misiones del Regimiento han copado primeras páginas, artículos de opinión, reportajes y hasta cartas al director. Y en todos se destaca el prestigio y el orgullo por los hombres y mujeres de la unidad.

La evolución de los ingenieros como una de las unidades esenciales en operaciones de ayuda humanitaria y de paz de los ejércitos españoles deriva precisamente de sus misiones operativas. Los militares de Salamanca, sin ser —ni pretenderlo— una ONG al uso, acuden a las llamadas de apoyo cuando son requeridos, desarrollando su trabajo en unas condiciones de riesgo que sonrojarían a quienes desde la ortodoxia de un incierto llamado pacifismo intentan malévolamente presentarlo como una aventura gratuita y belicosa.

Desde que en el año 1991 un puñado de militares acudieran con sus máquinas a la frontera turco-irakí para participar en la operación Provide Confort de ayuda al pueblo kurdo que había sido masacrado por Sadam Huseim, son múltiples las intervenciones de los ingenieros de Salamanca para minorar los efectos de guerras y catástrofes. En aquella ocasión, los kurdos agradecieron su apoyo y la del resto de la Agrupación Alcalá, con este mensaje:

> Al Gobierno español: En nombre de las tribus kurdas en Duhuk y Zakho en el Kurdistán de Irak, les agradecemos sus esfuerzos y su ayuda a nuestro pueblo kurdo para remediar el desastre y sus miserables condiciones.
>
> Nunca olvidaremos la defensa y los esfuerzos que han hecho por nosotros y la historia la escribirá con letra de oro. Esperamos que continúen ayudando a los pobres y a los humildes por todo el mundo. Damos gracias a España y a su gran reputación de justicia desde el fondo de nuestros corazones.
>
> Los mejores deseos para ustedes, vida y victoria para el pueblo español.

No hacen falta muchas más consideraciones puesto que el mensaje lo dice todo.

Los dos Batallones del REI-11, el de Caminos, construcción horizontal y el de Castrametación, en construcciones verticales, son base fundamental en la proyección de los ingenieros en sus especialidades en zona de operaciones. Su comportamiento en las acciones de cooperación internacional han sido tan importantes como fundamentales en el conjunto de cometidos que se le han encomendado.

El Batallón de Caminos construye y rehabilita caminos y vías de comunicación, helipuertos y explanadas para campamentos, campos de refugiados, campos de tiro, etc. El de Castrametación, en cambio, se dedica al acondicionamiento y mejora de campamentos con todas sus variantes: instalaciones eléctricas, redes de abastecimiento de aguas y saneamiento, obras de fábrica, montaje de contenedores que sirven de alojamiento, construcción de refugios y edificios, etc. Ambos han trabajado en esas tareas por todo el mundo, y en todas partes han dejado su impronta y buen hacer. Por citar algunas, destacamos las siguientes misiones internacionales:

- Construcción campo de refugiados kosovares en Hamallaj en Albania en 1999. Instalando un campamento con capacidad para 5.000 refugiados.
- Desmontaje, traslado y posterior montaje de un campamento desde el Destacamento de Petrovec a su nueva ubicación en la Base de España en Istok (Kosovo), 2003, para 1.000 personas.
- Construcción de un campamento en Qala i Naw y Herat (Afganistán), 2005-2006.
- Construcción de un campamento en Mazar e Sharif con motivo de elecciones en Afganistán, año 2004, para unas 600 personas.

- Trabajos de rehabilitación de infraestructura, desescombros, reconocimientos anfibio (2005) en apoyo a los damnificados del tsunami que asoló Indonesia. Es ésta la operación de ayuda humanitaria más compleja en la que ha participado el Regimiento, precisamente por su distancia y la cantidad de afectados.
- Construcción de un campamento para 550 personas dentro de la Operación Respuesta Solidaria II en Arja (Pakistán), 2005-2006, con motivo del terremoto que asoló la zona.
- Construcción de la Base Miguel de Cervantes para 1.300 personas en la Operación Libre Hidalgo Marjayoun (Líbano), 2006-2007. Esta construcción supuso el movimiento de casi medio millón de metros cúbicos de tierra y tres mil metros cuadrados de asfalto en superficie.
- Construcción de la Base Ruiz González de Clavijo en Qala i Naw en Afganistán (2009-2010) para 1.500 personas. Se empezó a construir en mayo de 2009, finalizando en diciembre de 2010, siendo la infraestructura más importante que se haya construido en la zona de Qala i Naw.

Además, por su importancia y repercusión para nuestra provincia, hay que destacar los trabajos realizados en Nicaragua y Honduras en 1988 y 1999, con motivo de la catástrofe provocada por el huracán Mitch, en la que, además de apoyo a la población civil y tareas menores de reconstrucción de diversas carreteras y pistas, se realizó la instalación de dos puentes Bailey en Nicaragua y Honduras, que más tarde el Estado español regaló a aquellas naciones. Decimos que la operación fue importante para nuestra provincia porque, por iniciativa del Regimiento, la agrupación militar llevó nuestro nombre: Agrupación Salamanca. Para siempre, pues, nuestro nombre quedará grabado en aquellas tierras como sinónimo de ayuda y solidaridad.

Podríamos citar más, pero es innecesario. El prestigio y reconocimiento social de las Fuerzas Armadas ha crecido en estos años con cada misión en la que se ha participado, hasta el punto de que hoy día todos los indicadores sociológicos las colocan como la institución más valorada de nuestra sociedad. Y en ello los Ingenieros de Salamanca han tenido un importantísimo papel. Cada operación ha sido un despliegue de cariño en el que, muchas veces, han puesto más de lo que su profesión les exigía. Y para ello baste un ejemplo.

Durante una de las primeras misiones en Bosnia, los de Salamanca veían en los pueblos que visitaban pobreza y necesidad. Y ante tal panorama, no se les ocurrió otra cosa que pedir a sus familias que en lugar de mandarles en los paquetes chorizo o golosinas, les enviaran ropita de bebé. Las familias así lo hicieron. Y quienes no tenían, porque sus hijos ya eran mayores, pidieron ropa a sus vecinos. Poco a poco el boca a boca circuló por la ciudad, de tal manera, que por Salamanca corrió un repentino y espontáneo río de solidaridad que canalizaron las familias de los militares, hasta el punto de que llenaron un local con ropa, juguetes y otros objetos que en un tiempo récord personas anónimas les hicieron llegar. Tan grande fue la respuesta que hubo de buscarse ayuda institucional para mandar todo en un tráiler a Bosnia. Y así, sin alardes, sin propaganda, sin grandes demostraciones, nuestros ingenieros lograron que los salmantinos se implicaran en una campaña de ayuda anónima, simple y absolutamente eficaz porque el cien por cien de lo donado llegó a su destino.

Otro ejemplo de final de 2005. Cuando los nuestros llegaron a Pakistán para ayudar a las víctimas de un terremoto, vieron que en un pueblo perdido de la montaña carecían de agua. Hacer una fuente básica costaba un dinero con el que no contaban y nadie en el Estado Mayor del Ejército conseguía ayuda para ello, porque se estaba a final de año y los presupuestos de todas las administraciones y entidades se habían terminado. Pues bien. Una simple llamada a la Obra Social de Caja Duero y el dinero apareció. Para la que era nuestra Caja, la palabra de los Ingenieros de aquí era suficiente garantía. Con ellos la seguridad de que el dinero se empleaba en la obra era absoluta y la cantidad precisa se libró inmediatamente. Ninguna otra unidad militar lo consiguió y fueron los ingenieros quienes llevaron el dinero de los salmantinos a aquellas gentes, que con solo una fuente dieron un paso de gigantes.

Mas si este excepcional trabajo ha servido para que el Regimiento haya conseguido un puesto de relevancia entre las Fuerzas Armadas nacionales e internacionales, no es menos cierto que a nivel local y provincial todo esto ha podido exponerse en un escaparate que es motor y seña de identidad de esta ciudad: la cultura.

Si la celebración del Festival del Soldado a que nos hemos referido sirvió para abrir las puertas de los ingenieros a los ciudadanos, no es menos cierto que su continuidad en ese tipo de actividades le ha granjeado una reputación única entre las unidades militares, a la que ha contribuido sin duda la difusión que de todo ello se ha hecho entre los salmantinos.

Tras la finalización de aquel acontecimiento, la relación de los Ingenieros con los servicios de cultura se afianzó sobremanera. Fue por entonces cuando la unidad hizo máxima del mandato del Convenio de La Haya de imbuir en las tropas un espíritu de respeto a la cultura y a los bienes culturales de todos los pueblos. Y así, desde entonces no hubo fiesta o celebración institucional que no incluyera actividades culturales en su programación. Tanto es así, que de aquellas fechas es la representación como acto central de las fiestas de San Fernando de una versión libre de cuadros de *Otelo* y *Julio César*, llevada a cabo por Garufa Teatro. José Antonio Sayagués, director de la compañía y hoy afamado y aclamado actor de televisión, recuerda con orgullo su participación en aquel acto, que por lo que supuso el evento, lo califica como uno de los más entrañables de su vida profesional.

Que Shakespeare entrase en el cuartel supuso un santo y seña de la comunión del Regimiento de Ingenieros con la Cultura. Cuando se prepara una intervención de ayuda humanitaria en un pueblo de nuestra provincia o en el País Vasco, como cuando se acude a una operación de paz con alto riesgo en Kosovo o Afganistán o cuando se abre en el cuartel la puerta a las Bellas Artes, lo que se expresa no es sólo la vocación de servicio o el respeto a la cultura, sino algo más profundo, la decidida incorporación de los militares, de los militares salmantinos, a la defensa de la cultura de valores de la sociedad española, de la nueva forma de ser, pensar y actuar de todos los ciudadanos, de la forma de vida por la que nuestra sociedad claramente ha optado.

Y es en este contexto en el que se enmarca la realización en el Acuartelamiento de una serie de magnas exposiciones, que de no haber sido por la voluntad intelectual y técnica de los militares no hubieran tenido lugar en Salamanca. Nos referimos especialmente a las celebradas en el cuartel de Ingenieros entre 1996 y 2002 y que tienen como motivo esencial el de San Fernando, patrón del Arma y ensamblaje de un significado: el guardián entre el centeno. La espada, en su efigie, es vigilada por el Libro con armonía difícil pero necesaria.

Sólo así puede entenderse que en 1997 la Academia de Bellas Artes de San Fernando cediera sus obras para ser expuestas en el mismo cuartel y que dos años más tarde fuese el mismísimo Museo del Prado quien permitiese excepcionalmente, por Orden Ministerial, acudir al mismo lugar con los fondos escultóricos de Roma. Bajo la rueda y entre el cuerno de «La Fortuna» la huella de algo imposible de imaginar queda en la retina.

Y desde luego sólo en ese contexto puede entenderse que en 2005 tuviese lugar en Zamora una exposición dedicada a San Fernando con fondos patrimoniales del Museo de las Claras, la Academia de Bellas Artes de San Fernando, la Biblioteca Nacional, el Servicio Geográfico del Ejército, el Museo Nacional del Ejército, los Archivos de Salamanca y Zamora y las esculturas de un académico de Matilla de los Caños que da nombre al salón de actos del Regimiento.

Se trata de Venancio Blanco. San Venancio, si se quiere, pues suya es la excelente pieza sobre San Fernando a la que antes se hacía mención, descubierta después de que el escultor la acabase precisamente durante su propia mili en Madrid. La escultura vino con el Regimiento hasta Salamanca y durante años presidió muchos actos, sin que nadie supiera su autoría.

Sin Venancio nada hubiera sido posible, pues fue él quien en 1996 abrió con sus esculturas el programa de ideas y fue él quien también hizo posible el apoyo de numerosas personas e instituciones para el cometido de las que siguieron. Ello sin olvidar que nada hubiera visto la luz sin la voluntad y trabajo de los propios militares que pusieron en ello todo su empeño. Y también sin la financiación externa, pues el apoyo de Caja Duero fue esencial para dibujar la realidad. Sucedió, ni más ni menos, que en este mapa de relaciones culturales concurrieron personas e ideas, y el clima para determinar claves y fines.

Se cumplió con creces, pues, la doble finalidad que se buscaba, esto es, dar a conocer el trabajo de las Fuerzas Armadas e inculcar en las tropas el respeto a la cultura y a los bienes culturales de todos los pueblos. Las claves atestiguan la difusión de las actividades, las elecciones de las muestras, las visitas guiadas de colegios, la atención informativa y el cuidadoso montaje de cada una de ellas. Pero también lo hace la difusión del mandato de la Convención de La Haya, presente en la primera página de todos los catálogos. Tenían que ser los ingenieros, la especialidad del trabajo, y tenía que ser en Salamanca, cuna y crisol de culturas, donde se tomara en serio esa obligación internacional de instruir a las tropas en el amor al arte y el respeto al patrimonio.

Y si, como hemos visto, la relación social ha ido creciendo en Salamanca a lo largo de los años, no podemos por menos de hacernos eco del impacto económico que los ingenieros han tenido y tienen en la provincia.

Ciertamente, a finales de los años 70, el anuncio de la creación en Salamanca de un gran campo de maniobras fue sin duda un revulsivo para la comarca de Alba de Tormes. Sólo aquel amago de instalación hizo que la construcción se moviera en la cabecera y que en los pueblos limítrofes, salvo en alguno, todo el mundo esperara que la zona tuviera el ansiado empuje que desgraciadamente nunca llegó. Sea por las ramplonas y cicateras miras de los que en esta tierra siempre se miran el ombligo, sea porque los cambios de planes por estos pagos siempre favorecen a Valladolid, lo cierto es que la base se fue a Pucela, donde nunca llegó a fructificar del todo.

Y así, en los años 80 se tuvo la impresión de que también a Salamanca militarmente le quedaban las migajas. Sólo nos quedaba el cuartel de Ingenieros mientras que Valladolid se llevaba una superbase. Pues muy bien. El tiempo suele poner las cosas en su lugar y en este caso favoreció a esta tierra.

La famosa Brigada de Caballería se quedó en agua de borrajas y en cambio los ingenieros se potenciaron. Tuvimos suerte. El Regimiento se reforzó con la llegada del Mando, y el tránsito al ejército profesional hizo todo lo demás. Por eso, hoy, aquí, ahora, podemos decir sin temor a equivocarnos que los Ingenieros son el segundo empleador de la provincia y el primero si se tiene en cuenta el empleo juvenil. Sus largos mil puestos de trabajo crean una riqueza inusitada en la ciudad porque los jóvenes soldados viven, compran y se solazan en ella.

El impacto puede verse diariamente en las inmediaciones de la Plaza de Toros, en el inicio y fin de la jornada laboral. El trasiego de coches y personas se asemeja al de una fábrica a la que acuden sus empleados. A este nivel de ocupación hay que unir el del negocio de las empresas suministradoras que proveen de materiales a las unidades. Todo ello conforma una creación de riqueza que la Cámara de Comercio vio hace muchos años. De los años 80 viene su estrecha relación con los Ingenieros, que comenzó de una forma tan simple como entrañable.

Por aquella época la Cámara puso en marcha una campaña de animación navideña y a alguno de los plenarios se le ocurrió ofrecer una pequeña carroza en la que viajara un emisario de los Reyes Magos alegrando las vacaciones a los pequeños. Como no podían moverla porque su exiguo presupuesto no permitía contratar una plataforma idónea para ello, llamaron entonces al Regimiento y los Ingenieros sólo pidieron el coste del carburante. De esta forma, durante casi diez años, el vehículo del cuartel animó la Navidad salmantina. Y de igual modo la Cámara, consciente del papel económico y social que ha jugado el Regimiento en todos estos años, otorgó en 1998 su medalla al mérito.

No es ésta la única distinción que el Regimiento ha recibido en la provincia. El 21 de septiembre de 2002, durante la celebración del día de la Provincia en Arapiles, el Regimiento recibió la Medalla de Oro de la Provincia de manos del presidente de la Diputación de Salamanca, en acto presidido por el presidente de la Junta de Castilla y León y el jefe del Estado Mayor del Ejército. En la resolución de concesión se dice que se otorga la más alta condecoración provincial «En atención a los méritos que concurren en el Regimiento de Especialidades de Ingenieros n.º 11, por su trayectoria militar y su intervención en operaciones de Ayuda Humanitaria en nuestra capital y provincia, así como en otras partes de España y en diversos países del extranjero, contribuyendo de este modo a la proyección universal de Salamanca».

Y ahí no acaban los reconocimientos. El Ayuntamiento de Salamanca, en Sesión Plenaria celebrada el día 4 de mayo de 2006, aprobó por unanimidad la propuesta de la Medalla de Honor de la Ciudad de Salamanca, la más alta distinción del Consistorio, «en reconocimiento a su trayectoria militar e importante labor en misiones nacionales e internacionales con las que contribuyen a la proyección universal de Salamanca».

Mas con todo, el reconocimiento mayor lo tienen los Ingenieros en sus vecinos. Muchos pueblos de esta provincia saben lo que es celebrar sus fiestas en tiendas y con sillas del cuartel, mantener sus caminos y hasta eludir crecidas y avenidas gracias a sus máquinas, despertar con sus sones y disfrutar pequeños parques. Pregunten por ellos. En Espeja, por ejemplo, les dirán que pudieron celebrar una exaltación del quinto centenario gracias a ellos; en Pereña desbrozaron un camino de cabras para llegar al Pozo de los Humos cuando nadie lo conocía; en Alba que hicieron más fácil la visita del Papa; y en tantos y tantos pueblos arreglaron algún camino, calle o parquecito. Un amigo y compañero de columna periodística que había asistido a unas fiestas navideñas con los Ingenieros en Mostar me confesaba que de no ser por su edad no creería ideológicamente lo que había visto en torno a los militares.

En todo caso, el reconocimiento de los Ingenieros de Salamanca crece con su papel en unos tiempos de nueva estructuración de los Ejércitos, pues los Ingenieros son forma indeleble del argumento por el que España, Europa o Naciones Unidas detallan nuevos aspectos de la Defensa y colaboración internacional.

Salamanca es un lugar donde no sólo se conoce la Universidad, las catedrales inconmensurables, la plaza más hermosa del mundo, las sierras hermanadas entre de Béjar y Francia o las Arribes del Duero, o el Lazarillo del Tormes abriendo las puertas de la novela moderna. Salamanca tiene en los Ingenieros otro signo que hace huella allí donde ellos tienden el puente, la razón de su trabajo, el empleo de su conocimiento y la implicación de su testimonio como parte de las Fuerzas Armadas a las que pertenecen. Ya sea en operaciones de paz, ayuda humanitaria o intervención en catástrofes, los Ingenieros de Salamanca representan la modernidad en uno y otro sentido de estas palabras que cierran un testimonio como fórmula del agradecimiento, que es por otra parte común a la gratitud que todos los salmantinos sentimos para con nuestro Regimiento, el de Ingenieros.

APÉNDICE FOTOGRÁFICO

50

años contigo

Exposición fotográfica del Regimiento de Especialidades de Ingenieros Nº 11:

8 de abril - 8 de mayo
Sala Garcigrande (Plaza de los Bandos)
Salamanca

Horario:

De martes a viernes: de 18 a 21 horas
Sábados y domingos: Mañanas de 12 a 14 horas
Tardes de 18 a 21 horas

50 Años del REI 11 en Salamanca
1966 - 2016

Cartel de la exposición fotográfica organizada por el Regimiento.

*Construcción
de campo de tiro.*
(Archivo REI-11).

Montaje de prefabricados.
(Archivo REI-11).

Construcción de vía de comunicación. (Archivo REI-11).

172

Afirmado. (Archivo REI-11).

Trabajos de protección y enmascaramiento. (Archivo REI-11).

Movimiento de tierras. (Archivo REI-11).

173

Construcción de vía de comunicación. (Archivo REI-11).

Exposición de material. (Archivo REI-11).

Formación en Plaza Mayor de Salamanca. (Archivo REI-11).

Inundaciones de Bilbao. (Francisco Sarro Moreno).

Inundaciones de Bilbao. (Francisco Sarro Moreno).

Tren de áridos. (Ángel Manrique - DECET).

Visita de S.M. el Rey Don Juan Carlos I. (Francisco Sarro Moreno).

Montaje de puentes. (Ángel Manrique - DECET).

Kurdistán-Irak. Ayuda al pueblo kurdo. (Julián Marcos Madruga).

Trabajos de desactivación de explosivos. (Julián Moreno de la Vieja).

Base en Afganistán. (Archivo REI-11).

Vigilancia en Afganistán. (Archivo REI-11).

Afganistán. (Archivo REI-11).

Afganistán. (Archivo REI-11).

Indonesia. Tsunami. (Archivo REI-11).

Indonesia. Tsunami. (Archivo REI-11).

Pakistán. Terremoto. (Ángel Manrique - DECET).   *Base en Afganistán.* (Archivo REI-11).

Indonesia. Tsunami. (Archivo REI-11).

Construcción de base en Líbano. (Archivo REI-11).

Indonesia. Tsunami. (Archivo REI-11).

Centroamérica.
Huracán Mitch.
(Archivo REI-11).

Bosnia. Desactivación. (Julián Moreno de la Vieja).

Afganistán. (Julián Marcos Madruga).

Bosnia. Convoy. (Julián Marcos Madruga).

Bosnia. Protección de depósitos. (Julián Marcos Madruga).

Albania. Desactivación de explosivos. (Julián Moreno de la Vieja).

Desembarco del contingente. (Julián Moreno de la Vieja).

Pakistán. Terremoto.
(Ángel Manrique - DECET).

Inundaciones. Valencia.
(Archivo REI-11).

Acto homenaje a contendientes. Batalla de Arapiles. (Archivo REI-11).

Centroamérica.
Huracán Mitch.
(Archivo REI-11).

Centroamérica.
Huracán Mitch.
(Luis Rico - DECET).

Actividad académica. Cátedra Martín Granizo en el Acuartelamiento. (Archivo REI-11).

190

Acto de entrega de nueva enseña, 13 de junio de 2016. (Archivo REI-11).